LES ●NTOUCHABLES

512, boul. Saint-Joseph Est, app. 1
Montréal (Québec)
H2J 1J9
Téléphone : 514 526-0770
Télécopieur : 514 529-7780
www.lesintouchables.com

DISTRIBUTION : PROLOGUE
1650, boul. Lionel-Bertrand
Boisbriand (Québec)
J7H 1N7
Téléphone : 450 434-0306
Télécopieur : 450 434-2627

Impression : Imprimerie Lebonfon inc.
Conception du logo : Marie Leviel
Mise en pages : Mathieu Giguère
Illustration de la couverture : Isabelle Angell, www.isabelleangell.com
Direction éditoriale : Marie-Eve Jeannotte
Révision : Patricia Juste Amédée, Natacha Auclair
Correction : Élaine Parisien

Les Éditions des Intouchables bénéficient du soutien financier du gouvernement du Québec — Programme de crédit d'impôt pour l'édition de livres — Gestion SODEC et sont inscrites au Programme de subvention globale du Conseil des Arts du Canada.

Nous reconnaissons l'aide financière du gouvernement du Canada par l'entremise du Fonds du livre du Canada (FLC) pour nos activités d'édition.

Société
de développement
des entreprises
culturelles
Québec ■ ■

Conseil des Arts
du Canada

Canada Council
for the Arts

Dépôt légal : 2012
Bibliothèque et Archives nationales du Québec
Bibliothèque nationale du Canada

ISBN : 978-2-89549-566-6

Les bravoures de Thomas Hardy
Tome 3, Répit pour les quidams

Dans la même série

Les bravoures de Thomas Hardy,
    Le bal des anciens, roman, 2012.
Les bravoures de Thomas Hardy,
    La grande kermesse, roman, 2012.

PHILIPPE ALEXANDRE

D'après une idée de Michel Brûlé

Les bravoures de THOMAS HARDY

3. Répit pour les quidams

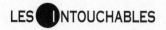

LES INTOUCHABLES

Le troisième livre de cette série est dédié
à ma bien-aimée, qui le lira tout près.
Merci de faire de moi un homme,
j'aurais pu passer à côté.

UN

Dehors, les flocons tombent au ralenti et le calme règne dans la maison de Thomas. Ses parents sont dans un spa nordique pour la journée, et le prince Charles, qui a l'âge de fêter comme un adulte, dort encore dans son palais souterrain. Hier déjà, c'était Noël, la deuxième journée d'affilée passée à festoyer pour le clan Hardy, et celle où ils recevaient chez eux leur grande famille. Une quarantaine d'invités ont rempli la demeure, l'imprégnant de leur joie résonnante, y compris une bonne poignée de cousins et de cousines avec qui s'adonner aux plaisirs plus enfantins de la célébration. La «jumelle» de Jasmine a d'ailleurs convaincu ses parents d'emmener cette dernière dormir chez elle, permettant à Thomas d'éviter le gardiennage.

À midi, alors que le contraste entre la folie festive de la veille et le silence de la maison vide donne les bleus au jeune Hardy, William sonne à la porte, prêt à entamer avec son ami le montage de la toute dernière bravoure. La veille, les invités ont supplié Thomas de leur montrer des extraits des images captées durant l'événement, mais en vain : monsieur le réalisateur préfère maintenir le voile sur son œuvre jusqu'au résultat final.

— Ton frère est pas là ? demande William.

L'intello, qui partage avec Charles la passion des mathématiques, est bien le seul ami de Thomas à ne pas se faire taquiner par son grand frère.

— Ne réveille pas le lion qui dort…

— Bah ! Je l'aime bien, moi, le Charlot !

— Crois-moi, si c'était de mon ressort, tu pourrais le ramener chez toi.

William rigole et suit son copain jusqu'au salon.

— On commence par visionner les trois cassettes au complet ? demande-t-il.

— Oui. Veux-tu noter les passages qu'on garde ou tu veux que je le fasse ?

— C'est comme tu veux.

Pour faciliter la tâche et limiter la quantité d'espace nécessaire sur le disque dur, le père de William leur a appris à utiliser le compteur de temps de la caméra durant le visionnement initial, ce qui permet de noter l'emplacement et la durée exacte des clips qu'ils veulent utiliser pour le film. Ensuite, ils n'ont qu'à entrer les chiffres notés dans le logiciel de capture afin de ne sauvegarder dans l'ordinateur que les séquences dont ils auront besoin au montage.

Bien qu'ils aient déjà, le jour suivant l'événement, visionné la majorité du matériel filmé, les deux copains ressentent une grande excitation à l'idée de replonger dans l'univers de cette journée mémorable. Lorsque Thomas appuie sur le bouton de mise en marche, ils se tapent dans la main, et leurs grands yeux s'illuminent devant l'écran de télévision. Comme il y avait beaucoup de gens et, par conséquent, beaucoup d'action, chacun prend un grand plaisir à voir ce que les autres caméramans ont enregistré. Les séquences d'Ernesto (qui était invité aujourd'hui, mais qui a préféré faire une sortie en famille) sont particulièrement comiques. Le jeune Mexicain parle sans cesse, détaillant le moindre fait avec l'excitation d'un commentateur sportif.

Le style de William est quant à lui plus méthodique, plus calculé : il reste silencieux, la caméra est toujours bien stable et les plans sont soignés. On peut dire que Thomas est un mélange des deux, sa particularité à lui étant qu'il retourne régulièrement la caméra vers lui-même pour blaguer ou montrer des expressions faciales amusantes. Par exemple, tandis qu'il filmait la grosse dame au chandail de loup, il regardait la caméra chaque fois qu'elle s'endormait, pointant le doigt vers la barre de chocolat à moitié dévorée tout en se léchant les babines. Il y a au total environ une heure d'enregistrement, que les deux garçons regardent sans interruption (si ce n'est de la brève apparition de Charles, venu caler d'un seul coup un litre de jus d'orange avant de retourner au lit). Le matériel jugé intéressant donnera, en fin de compte, un film d'une quinzaine de minutes.

Pour le montage, Thomas amène William dans sa chambre afin que les deux garçons puissent installer leurs ordinateurs portables côte à côte. Pendant que l'un envoie le contenu digital sur le disque dur, l'autre cherche des pièces musicales à utiliser en arrière-plan pour certaines scènes. Ensuite, l'alignement des séquences débute, un peu à la manière d'un casse-tête que l'on assemble, un morceau à la fois. C'est d'ailleurs la partie préférée de William, dont le cerveau est friand d'organisation.

Tout au long de leur travail minutieux, les deux garçons s'inspirent de clips musicaux ou de films qu'ils ont en mémoire pour ajouter un peu d'effet : répétitions d'images, ralentis, changements de couleur, transitions variées, etc. Comme ils sont novices (douze ans, quand même !), ils progressent lentement par essai et erreur, accumulant au passage une expérience précieuse. « On prend une pause? » demande souvent Thomas, qui a plus de mal que son ami à rester concentré longtemps. Chaque fois, William doit se forcer pour décrocher, tellement il est absorbé par ce qui se passe à l'écran.

En fin d'après-midi, juste avant le retour des parents, nos deux monteurs en herbe terminent enfin leur film.

— Wouhou! s'exclame Thomas. Je pense qu'on s'est surpassés, cette fois-ci!

— C'est clair, pis on va devenir meilleurs à chaque fois! Je commence à beaucoup aimer ça. Peut-être que ce serait cool d'étudier dans le domaine du cinéma ou de la télé finalement…

— Ton père serait content!

— J'ai comme l'impression qu'il va être content, peu importe ce que je décide. On a les mêmes intérêts, alors ce sera pas difficile pour lui d'approuver mon choix.

— Tu sais, c'est vraiment bien ce que t'as fait, donner des jouets comme ça pour la cause. Je sais que c'est difficile pour toi de te départir de tes objets. Ça prenait beaucoup de courage.

William sourit, surpris par l'éloge.

— Bah, c'est la moindre des choses.

— Ernesto m'a dit du bien de toi au début des vacances : il trouve que t'as changé positivement depuis quelque temps, que tu prends de la ma-tu-ri-té.

— Ah. J'ai pas vraiment le choix, en fait.

— Comment ça ?

— Ben, ce serait difficile de pas te suivre ! Tes projets sont vraiment inspirants pour tout le monde. Je suis pas stupide, je vois bien l'effet que ça fait chez les autres. Même les adultes ont l'air impressionnés. SURTOUT les adultes, en fait. Comment tu veux que je continue à agir comme un bébé pendant que tout ça se passe autour de moi ?

— On a encore douze ans, tu sais…

— Presque treize !

— Dans un mois, c'est ça ?

— Oui, monsieur !

— Cool. Mais ce que je voulais dire, c'est que même si on réalise des projets comme ça, on peut pas brûler des étapes. C'est correct de rester jeunes pis un peu imbéciles. J'ai eu une longue discussion avec mes parents sur ça. Ils sont vraiment fiers de moi, mais ils avaient peur que les événements des derniers mois me fassent grandir trop vite. Le soir même, je me suis mis à courir en bobettes dans la maison en chantant de l'opéra. Ça les a rassurés.

— Haha ! T'es con.

— De toute façon, pas question d'arrêter maintenant. J'ai plein d'idées qui me viennent pour les prochaines bravoures.

— Comme?

— Hum… Trop tôt pour en parler.

— Bon… Regarde-le, l'autre!

— Haha! Ça va être quelque chose de plus léger en tout cas, question de prendre de petites vacances.

— Ça me rassure.

— Tu vois? Toi aussi, t'as besoin d'être rassuré!

Dès que Diane met les pieds dans le vestibule, Thomas se met à tourner autour d'elle en criant:

— On a fini! On a fini! On a fini!

— Fini quoi? demande Jasmine.

— Fini de payer pour te nourrir! lui répond-il. Il va falloir que tu te trouves une job!

— MAMAAAAAAN!!!

La dame soupire.

— Franchement, ma grande. Tu vois bien que ton frère te taquine.

La fillette fait une grimace au vilain Thomas et se blottit contre sa mère.

— Bonjour, William! s'exclame cette dernière en voyant l'ami de son fils. Comme ça, votre montage est terminé?

— Oui. On attendait que vous arriviez pour l'écouter.

— Aaaah, c'est bien gentil de votre part, les garçons! J'ai très hâte de le voir.

— C'était bien, votre spa ?

— Si tu savais ! Avec une journée comme ça prévue le lendemain, je recevrais ma famille au complet chaque semaine !

Le paternel entre à son tour et, en remarquant dans le miroir sa courte barbe pleine de flocons, il gonfle son abdomen et s'écrie :

— HO ! HO ! HO ! Le père Noël est rentré !

— Il a l'air d'être pas mal en forme, le père Noël, commente Charles qui sort tout juste de son antre.

Xavier prend la voix d'Homer Simpson.

— Hmmm… Maaassaaage…

Sa femme le dévisage aussitôt.

— Quoi ? proteste-t-il avec un air coquin.

— Tu le sais très bien !

— Pfft ! Elle est restée très professionnelle, la jolie Carla, malgré ma beauté considérable…

— Je vais t'en faire, moi, « la jolie » Carla !

Puis le couple échange des regards complices, signe qu'ils plaisantent. Ces petits jeux sont fréquents entre eux ; les enfants y sont habitués.

— Hé ! Maître Will en personne !

— Bonjour, monsieur Hardy !

Xavier fait semblant d'être offensé.

— Ça fait plusieurs fois, là, que je te demande de m'appeler par mon prénom !

— Oh, désolé !

— Pour ta punition, tu vas aller me chercher une bière !

— Euh…

— Allez ! Pas une seconde à perdre !

Un peu confus, William obéit et se rend à la cuisine. C'est au tour de Thomas de dévisager son père.

— Quoi ? Je peux bien me servir un peu de tes amis ! dit Xavier avec le plus grand sérieux.

Puis il sourit et serre son fils dans ses bras.

— Vous avez bien travaillé aujourd'hui ?

— Oui, on a terminé. Dépêchez-vous d'enlever vos bottes, qu'on regarde le film tous ensemble !

Rapidement, William revient avec une Guinness fraîche qu'il tend à Xavier. Ce dernier lui offre en échange une pièce de vingt-cinq sous.

— Tiens, mon homme. Il paraît que je t'exploite, alors j'ai décidé de te payer.

Le garçon fixe la pièce de monnaie, médusé : c'est qu'on n'achète plus grand-chose avec un caribou. Constatant sa stupéfaction, Xavier reprend la pièce, fouille dans ses poches et en ressort un beau dollar tout neuf qu'il dépose dans la main de William.

— Un fin négociateur, dit-il en lui ébouriffant les cheveux (même si le garçon n'a pas dit un seul mot). Tu vas aller loin dans la vie ! Bon, on passe aux choses sérieuses ?

Puis le sympathique monsieur part s'asseoir au salon.

— Qu'est-ce qui se passe avec lui? demande Thomas à sa mère.

— Oh, tu le connais. Il y a des journées où sa bonne humeur est juste trop grande pour qu'il se comporte comme du monde. On lui a demandé de baisser le ton à peu près dix fois aujourd'hui, un vrai adolescent!

Elle hausse les épaules et part chercher des restants du buffet de la veille pour un repas collectif à la bonne franquette. William et la petite famille se réunissent ensuite devant la télévision, à laquelle Thomas branche son ordinateur pour faire jouer son film. Si l'on se fie à la fréquence des rires, le court-métrage remportera un franc succès.

DEUX

Le surlendemain, nos quatre mousquetaires se réunissent chez William pour une projection privée et la mise en ligne officielle de la toute dernière *Bravoure de Thomas Hardy*. Denis, grand amateur de cinéma, s'est offert pour Noël un projecteur qui envoie sur une toile spéciale une image de cent trente pouces. La décoration du sous-sol a d'ailleurs été modifiée de façon à créer une ambiance similaire à celle qu'on trouve dans une salle de cinéma : les murs ont été peints avec des couleurs foncées, les affiches de films sont entourées de petites lumières et une authentique machine à maïs soufflé commerciale s'occupe des fringales.

Lorsque Ernesto, plus qu'impressionné, demande le coût d'un tel arrangement, la réponse de Denis est surprenante :

— Eh bien, le projecteur, *grosso modo*, est le même prix qu'un téléviseur haute définition de bonne marque. Est-ce que ça reste un luxe ? Assurément. Mais, ça, c'est un autre débat.

Pour les affiches, j'ai simplement utilisé des jeux de lumières de Noël dont on ne se servait plus. J'ai percé des trous à intervalles réguliers sur des cadres que j'ai fabriqués moi-même avec des retailles de bois, dans lesquels j'ai inséré les ampoules une par une. La couleur brunâtre que tu vois sur les murs provient des restants de peinture qui traînaient dans le garage et qu'on a mélangés. Ça reflète moins la lumière de l'écran, alors on est moins éblouis, tu comprends? Pour ce qui est de la machine à pop-corn, elle m'a été pratiquement donnée parce qu'elle était défectueuse. La réparer a été long parce que je l'ai fait à temps perdu, mais ce n'était pas très compliqué.

On voit bien que Denis pourrait (et aimerait) continuer de parler en détail de tous les aspects de sa pièce favorite, de chaque étape de sa conception. Comme ceux de son fils, ses yeux pétillent dès qu'il est question d'un sujet qui le passionne. Mais, en constatant qu'il commence à perdre son auditoire, il conclut:

— En tout cas, on peut faire des choses vraiment chouettes avec un peu d'imagination et de débrouillardise, et sans que ça nous coûte une fortune!

— Je suis officiellement jaloux! déclare Ernesto.

Il a dit cela sans amertume aucune, mais, à cause des différences assez considérables qu'il y a entre leurs niveaux de vie, William se sent un peu mal à l'aise.

— Bon, on met le film ? propose ce dernier pour changer de sujet.

Verre de boisson gazeuse et bol de maïs soufflé à la main, tous s'assoient confortablement devant l'écran pour revivre ensemble les meilleurs moments de la kermesse. Évidemment, chacun se plaît beaucoup à se voir sur l'écran : le succès de la première bravoure leur a donné conscience du fait qu'ils seront vus par des dizaines, voire des centaines de milliers de gens, ce qui fait ressortir leur petit côté vedette. Malgré tout, Thomas a pris soin de mettre l'accent sur les sans-abri (sans tomber dans le mélodrame) et les nombreux participants. Ce n'est que vers la fin que les quatre copains sont mis à l'avant-plan, alors qu'ils savourent enfin leur délicieuse vengeance.

Inlassables, ils repassent une dizaine de fois la séquence de monsieur Sigouin, et leurs muscles abdominaux finissent par être douloureux, tellement ils rient. La musique qui jouait durant l'événement a été remplacée par du punk disjoncté et, chaque fois que le directeur tombe dans l'eau, la vidéo recule, s'arrête et repart au rythme de la chanson comme pour lui faire revivre le moment à répétition.

— Je suis tellement heureux d'être né! s'exclame Ernesto. Juste pour voir ça!

Thomas pose une main sur l'épaule de son ami.

— Haha! Le pire, c'est qu'on aurait pu être encore plus méchants quand on faisait le montage! Un moment donné, on le voit en gros plan se fouiller dans le nez et regarder son doigt en le sortant. Quand il se rend compte qu'il est filmé, il fait semblant qu'il se grattait près de l'œil… Trop pissant!

— Hein, pour vrai? demande Karl entre deux grosses bouchées. Pourquoi vous l'avez pas mis?

Thomas passe du rire à un ton plus sérieux:

— Parce qu'on en a assez fait comme ça. Après tout, il reste le directeur du premier cycle, pis il va falloir l'endurer encore un an et demi.

— Ouin…

— De toute façon, il fait un peu pitié. Je veux dire: il mérite ce qui lui est arrivé, mais j'ai pas envie de le rendre plus malheureux qu'il l'est déjà.

— Il est malheureux?

— Pourquoi il agirait comme ça s'il l'était pas?

Karl hausse les épaules, cale le restant de son cola et produit un rot qui résonne dans toute la pièce.

— La grande classe! commente William en brandissant son pouce. Comme disait Thomas, moi, je trouve qu'on en a fait assez. Là, c'est humiliant seulement si t'as pas le sens de l'humour, sinon c'est juste drôle. En plus, il porte un costume pis une barbe, c'est pas comme si les gens allaient le reconnaître dans la rue!

Denis tape dans la main de son fils.

— Bien dit, mon grand, je suis tout à fait d'accord. Et puis, si je comprends bien monsieur Hardy, le but de ses bravoures n'est certainement pas de régler ses comptes, même si ça fait du bien. Est-ce que je me trompe?

— Non, répond Thomas. Même si ça fait du bien…

Sa bouche forme un sourire machiavélique qui fait rire tout le monde.

Débordants d'énergie, les garçons profitent de la neige fraîche pour aller s'amuser dans la cour. Il ne fait pas tellement froid, mais Ernesto se plaint tout de même au moindre coup de vent.

— Je ne m'habituerai jamais complètement à ça, dit-il en tirant sur les côtés de sa tuque.

Il est si emmitouflé que seuls ses yeux paraissent. Par contraste, Karl est légèrement vêtu pour la température.

— Moi, c'est rare que j'ai froid.

Ses amis se regardent et roulent les yeux. Difficile d'avoir froid quand on est si généreusement enveloppé.

— On se construit un fort? propose-t-il.

— Moi, ça me dit, répond Ernesto.

Les quatre amis se mettent alors à creuser, avec les mains ou une pelle, jusqu'à ce qu'un périmètre soit établi. Ils sont si concentrés sur la tâche qu'ils parlent peu, à part pour s'entendre sur les aspects de la construction.

— Thomas m'a parlé de sa prochaine idée, finit par dire William.

Karl se retourne, enthousiaste.

— Pour une bravoure?

— Oui!

— C'est quoi? C'est quoi? C'est quoi?

— Je le sais pas, monsieur a pas voulu me le dire.

Thomas soupire.

— Ha! Que t'es bavard, une vraie pie!

La pie se retient pour ne pas rire, sa tentative de faire parler Thomas étant plus que délibérée.

— Oh, allez, Tom-Tom! Raconte-nous ça!

— *Por favor, amigo…* Qu'est-ce que tu mijotes?

— Bah, rien de si spécial, juste une idée que j'ai depuis un bout de temps…

Ernesto lui fait signe de continuer.

— Ben, je vous ai déjà montré des vidéos où les gars font des lancers vraiment fous avec un ballon de basket…

— Genre les lancers impossibles de n'importe où?

— Oui. J'ai pensé faire un peu la même chose, mais avec des demandes spéciales. Les gens pourraient me lancer des défis sur YouTube, me proposer des tentatives de paniers. Si je les réussis, ils doivent faire un don pour la collecte de nourriture. Genre plus la tentative est difficile, plus le don doit être élevé. Qu'est-ce que vous en pensez?

— C'est une très bonne idée, *amigo*, encore une fois.

— C'est cool, commente William, mais, nous, on n'est pas très bons au basket.

— Je sais, lui répond Thomas. Je parlais de moi, aussi.

— Pis nous, c'est quoi, nos rôles, là-dedans?

— Je sais pas… Filmer, m'encourager, m'aider à ajuster mes lancers… C'est comme au billard, il y a des mathématiques là-dedans, non? Je vais sûrement avoir besoin de conseils.

— Ouin… C'est juste que…

Une vague d'impatience traverse Thomas.

— Regarde, Will, c'est pas évident de trouver de nouvelles idées, pis je peux pas tout le temps inclure tout le monde de la même manière! En plus, je te l'ai dit, c'est un projet plus personnel en attendant; c'est certain que celui qui va suivre risque de nécessiter l'aide de tout le monde.

— OK, mais si nous on en a, des projets personnels, est-ce qu'on peut les faire?

— Ça dépend…

— Ça dépend de quoi?

En voyant la tension monter, Ernesto change vite de sujet:

— Parlant de collecte, est-ce que ça avance, les dons?

Thomas le regarde, puis William.

— Pas pire, répond ce dernier. On est rendus à presque trois mille dollars. Le rythme a ralenti depuis un bout, mais maintenant que la nouvelle bravoure est en ligne, ça devrait aider.

— Trois mille? *Ay, caramba!* C'est déjà beaucoup!

— Quand même, oui.

— Tu es certain que ton père ne les a pas utilisés pour acheter son projecteur?

William le foudroie du regard.

— Hé! Dis plus jamais des choses de même!

Ernesto soupire.

— Tu sais bien que je blague. Tu crois vraiment que je pense ton père capable de faire quelque chose comme ça? Relaxe, *hombre*, tu réagis comme une fillette!

William rajuste ses lunettes et mâche le restant de sa colère en entassant la neige. Karl, qui a suivi attentivement la scène, propose une idée qui convient parfaitement à la situation :

— Vous savez ce qu'on devrait faire ?

— Quoi ? répond William en levant les yeux.

— BATAILLE DE BOULES DE NEIGE !!!

Il se met alors à lancer les boules qu'il avait secrètement roulées et touche ses trois cibles. Comme si rien ne s'était passé, les quatre amis oublient leurs différends et s'en donnent à cœur joie, remettant à Karl la monnaie de sa pièce.

TROIS

La rentrée approche maintenant à grands pas et les festivités sont déjà loin derrière. À ce stade, Thomas éprouverait normalement une nostalgie propre à la fin des vacances, mais pas aujourd'hui : il attendait cette journée avec plus d'impatience que le jour de Noël. Tandis qu'il regarde le merveilleux paysage enneigé, la remontée mécanique s'arrête brusquement, ce qui fait balancer sa chaise.

— Tu imagines si on tombait ? demande-t-il en fixant le sol entre ses skis.

— Non, répond Annick. C'est justement le genre de choses auxquelles j'aime pas trop penser.

— J'ai déjà sauté en bas, tu sais…

— Quoi ?

— Au sommet, sur le devant de la bute où il faut descendre.

— Oh ! Haha !

— C'était l'an passé, avec Olivier. Ça faisait genre cinq minutes que la chaise était immobile, on était presque rendus. Il y avait aucun danger, mais le gars de la cabine nous a crié après comme si on venait de risquer nos vies. Il a même envoyé un pogo après nous.

— Un « pogo » ?

— C'est le nom que les jeunes donnaient aux patrouilleurs dans le temps de mon père. Ils avaient un uniforme brun qui leur donnait l'air d'un pogo. J'ai emprunté l'expression parce qu'elle est juste trop bonne.

— Est-ce qu'il vous a attrapés, le pogo ?

— T'es folle ? On était trop futés ! Trop rapides aussi !

— Ça, j'ai pas de misère à le croire. C'est aéro-dynamique, des mongols !

Thomas se donne un air snob :

— Vous parlez de moi, très chère ?

— Haha ! T'es laid, arrête !

— Oh, vraaaaiment ?

L'air snob du garçon se transforme en sa pire grimace possible.

— Je regarde pas ! s'exclame son amie. Je ferme les yeux !

— Tu refoules mon visage hideux ?

— Oui !

— Bon, OK, tu peux regarder maintenant.

Lorsque Annick ouvre les yeux, elle voit la main dégantée de Thomas qui tient une jolie bague.

— Hooooooon, c'est pour moi?

— Non, c'est pour le gars de la cabine, pour m'excuser.

— …

— Ben oui, c'est pour toi!

— T'es tellement *cuuuute*!

— C'est une bague d'humeur, elle change de couleur quand tu… Franchement! Je sais même pas pourquoi je prends la peine de t'expliquer! T'es une fille, c'est clair que tu connais ça, une bague d'humeur! C'est vous qui avez inventé les bagues d'humeur!

— En tout cas, celle-là, c'est la plus belle du monde.

— Bon, je te le dis tout de suite, même si c'est une bague, ça t'engage à rien, c'est juste que tu m'a déjà donné un médaillon, alors je…

Annick place sa mitaine sur la bouche de Thomas.

— Chut! Pas besoin de te justifier. Je l'aime beaucoup, merci.

Elle s'avance pour lui donner un baiser, mais leurs lunettes se cognent les unes contre les autres et l'en empêchent.

— Haha! Oups!

— Hé, Roméo et Juliette! s'écrie Charles, assis avec un ami dans la chaise juste en arrière de celle de Thomas et d'Annick. Un peu de retenue!

Thomas et Annick se retournent et observent les deux idiots qui rigolent. Le garçon soupire :

— Je suppose que c'était le prix à payer pour avoir un *lift*…

Juste avant le congé des fêtes, Annick a confirmé à son meilleur ami qu'elle retournait bel et bien vivre à Sainte-Agathe avec ses parents et ne finirait donc pas l'année au collège Archambault. Même si Thomas soupçonne qu'elle le savait depuis le début, il ne lui a pas soufflé mot de ses doutes et s'est contenté d'accueillir la nouvelle avec maturité. En apparence seulement, car cela a créé dans son cœur un grand vide qui lui fait encore mal. *Je ne sais pas si c'est une bonne ou une mauvaise chose*, se répète-t-il souvent pour se consoler. Car, si les touchantes retrouvailles d'Annick et de son père ont finalement eu une influence aussi triste sur la vie de Thomas, peut-être la prochaine conséquence sera-t-elle des plus positives.

D'une certaine manière, il ne regrette aucunement que leur relation soit restée amicale malgré les tentations. «Comme ça, il y a beaucoup plus de chances que votre relation perdure», lui a dit Xavier lorsqu'il a fini par oser lui en parler. «Crois-moi, si vous aviez déjà signé le contrat, il n'y aurait que des difficultés entre vous deux à cause de la distance. » Mais là n'est pas vraiment le problème ; tout compte fait, c'est plutôt la perspective des jours d'école sans Annick qui attriste Thomas plus que tout, petite amie ou amie tout court.

En la regardant tomber et se relever comme si de rien n'était pour poursuivre sa descente, Thomas s'ordonne de profiter du moment sans penser à rien d'autre. La lettre (une vraie, en papier !) rassurante que lui a fait parvenir Annick reste d'ailleurs gravée dans sa mémoire :

Cher Thomas,

Je t'écris cette lettre pour te dire à quel point tu es important pour moi. Ça fait peut-être un peu quétaine, mais tu illumines ma vie. Dans ma tête, il y a un «avant» ta rencontre et un «après». J'aime vraiment mieux le «après».

Je sais que j'ai l'air de bien prendre mon déménagement et je pense que tu sais pourquoi je n'ai pas contesté la chose. Même si fréquenter la même école que toi est un plaisir de tous les jours, ça ne peut pas se comparer au bonheur que je ressens de voir mes parents réunis. J'ai l'impression que la grosse tache noire qui rendait ma vie terne a été nettoyée, ainsi que celle qui gâchait mes souvenirs d'enfance.

Je voulais aussi te rappeler qu'on a un avantage que nos parents n'avaient pas : Facebook ! On pourra s'envoyer des messages aussi souvent qu'on veut et même mettre plein de photos de nous avec des «duck face», lol! (Un «lol» écrit à la main, c'est vraiment bizarre). Bon, je risque de probablement en mettre plus que toi (tsé, les filles!), mais avec tes vidéos et le fait que tu deviens une star, j'ai comme l'impression que je vais te voir souvent la binette!

Ce que j'essaie de dire, c'est qu'on ne se perdra pas de vue, IMPOSSIBLE! Notre amitié est plus forte que tout, et qui sait ce que l'avenir nous réserve? On se comprend...)

Bon, je vais arrêter ici, parce que j'ai l'impression d'écrire un roman. Je t'aime beaucoup, beaucoup!

On se voit bientôt!

Annick
xoxoxoxoxox

La lettre a eu l'effet d'un baume sur la peine de Thomas, car, effectivement, il est beaucoup plus facile pour les jeunes de sa génération de garder contact et de se retrouver. De plus, les mots choisis par la jeune fille ont renforcé sa conviction que leur amitié est à l'épreuve de la distance et que le meilleur reste à venir. De retour, donc, à cette magnifique journée où Thomas pratique un sport qu'il aime en compagnie de celle qu'il aime : ça pourrait être pire !

— Regarde ça ! crie-t-il à Annick avant de prendre son élan pour se diriger vers un saut formé naturellement sur la piste.

Il s'élance sans hésiter, exécute une vrille parfaite, puis s'arrête quelques mètres après l'atterrissage. Il se retourne alors en direction de son amie, s'attendant à la voir en pâmoison devant son acrobatie. À sa grande surprise, celle-ci emprunte le saut à son tour et réussit à atteindre une hauteur plus que respectable tout en attrapant d'une main le rebord de sa planche.

— Wow ! s'exclame-t-il tandis qu'elle le rejoint. Avec un *grab* en plus ! Je savais pas que t'étais aussi bonne !

Décidément, il n'y a rien de plus séduisant qu'une fille habile sur une planche. Il faut dire que ses vêtements d'hiver, parfaitement assortis mais au look un peu rebelle, ne sont pas désagréables à l'œil.

— Toi aussi, c'était vraiment *hot* !

— Merci. J'ai appris à faire des trois cent soixante la saison dernière. Ça m'a pris du temps, mais après l'avoir réussi une fois, c'est devenu super facile.

— Moi, j'ose pas trop encore. Ce que t'as vu, c'est le mieux que je peux faire.

— Ce que j'ai vu, c'était super bien.

— C'est gentil. On va se réchauffer au chalet?

— Oui, j'ai faim, pis je commence à avoir le bout des orteils gelé.

— On fait une course!

Annick pousse Thomas dans le tas de neige, puis se met aussitôt à redescendre.

— Hé! proteste-t-il en la regardant prendre de l'avance.

Il se relève, donne de grosses poussées avec ses bâtons et part à sa poursuite.

— Cette montagne est trop petite pour nous deux! s'écrie-t-il en lui lançant une boule de neige molle, confectionnée en vitesse, juste avant de la dépasser, une centaine de mètres plus loin. Quand elle sent la boule de neige frapper son dos, Annick lève le poing en hurlant:

— Traître! On réglera nos comptes en bas!

Après une brève bataille de boules de neige, les deux amis entrent dans le chalet et s'assoient à une table près de la baie vitrée pour y manger leur lunch.

— Tes parents faisaient quoi aujourd'hui? demande Thomas entre deux bouchées. Ils avaient pas envie de skier, eux aussi?

— Non. Mon père a arrêté depuis un bout et je suis pas mal certaine que ma mère en faisait juste pour le suivre. Elle est pas très sportive. De toute façon, je pense que ça faisait leur affaire de se retrouver seuls pendant quelques heures. Ils vont probablement se promener au village pour magasiner un peu, manger dans un bon restaurant…

— Ils sont vraiment mignons ensemble, on dirait des jeunes mariés.

— Je sais ! Ma mère m'a dit que c'est encore meilleur la deuxième fois. Que c'est un peu comme s'ils se redécouvraient, mais sans les doutes qui viennent quand on connaît pas vraiment la personne.

— Ç'a l'air pas mal plus compliqué que dans les films, l'amour.

— Tu parles par expérience ? lui demande-t-elle d'un ton taquin.

— Pfft !

— Haha ! Dis-toi qu'un film, ça dure deux heures en moyenne…

— Et ?

— Ben, les humains ont toute une vie, ça en fait, des moments à remplir !

— Ouin, je sais. Des moments qui sont beaucoup trop longs des fois…

Annick prend un air offusqué.

— Pardon? Es-tu en train de me dire que les moments passés avec moi sont trop longs?

Thomas baisse le regard.

— Non, c'est ceux où t'es pas là qui le sont.

Il s'agit là de la plus belle chose qu'on ait jamais dite à la jeune Tremblay. Assez belle, d'ailleurs, pour que ses yeux se mouillent presque instantanément. Mais, comme il s'agit du genre de choses auxquelles elle préfère ne pas penser pour l'instant, elle fait comme si elle n'avait rien entendu, se lève et part en direction de la cafétéria.

— Je reviens avec deux bons chocolats chauds, dit-elle sans se retourner. Ça va faire du bien!

Thomas la regarde s'éloigner, le cœur entre les mains.

QUATRE

Ce sont les longs doigts glacés de l'hiver qui semblent avoir réveillé Thomas ce matin : ses sept heures de sommeil profond n'ont pas été suffisantes pour le recharger, et son corps, bien que couvert, proteste en grelottant. Inutile de dire que la douche qui suit son pénible lever est encore plus réconfortante qu'une crème glacée servie par la fée des étoiles en personne après un rendez-vous chez le dentiste. Le reste de sa routine matinale se passe dans le plus grand déni.

Je suis pas obligé d'aller à l'école, pense-t-il en mettant un peu de gel dans ses cheveux. *Je CHOISIS d'y aller. J'en ai VRAIMENT BEAUCOUP ENVIE, parce que l'école c'est SANS AUCUN DOUTE PLUS PLAISANT que d'être au chaud dans ma maison pis libre de faire ce que je veux, quand je veux. Est-ce que c'est compris, Thomas Hardy ? Tu ressens ÉNORMÉMENT de joie à te préparer pour aller marcher au froid. En fait, c'est ton activité préférée de te les geler...*

Est-il vraiment possible de se duper soi-même? Non. Thomas soupire et part s'habiller, suivi de près par le pauvre Freddy qui, durant les vacances, s'est habitué à sa présence quasi permanente. C'est à ce moment précis que le déménagement d'Annick frappe le plus fort, alors que le jeune Hardy réalise combien les choses seraient différentes aujourd'hui s'il pouvait compter sur sa présence. Premièrement, ce n'est pas l'appréhension de la rentrée qui aurait rendu son sommeil trouble, mais bien la délicieuse anticipation de voir sa belle amie. Le son strident du réveille-matin se serait transformé en musique mélodieuse, ses céréales auraient pris un goût divin, son corps aurait été porté par la hâte au lieu d'être lourd et aussi motivé que l'est monsieur Sigouin à devenir une personne décente. Mais bon, quand il faut, il faut…

Par une considération des plus délicates et digne d'un meilleur ami, Ernesto a anticipé le cafard de Thomas (les deux se sont parlé la veille, au téléphone) et l'attend, malgré le froid, devant l'entrée du collège comme le faisait souvent Annick.

— *Hola amigo! Qué tal?*

Thomas, visiblement touché par le geste, lui offre une poignée de main vigoureuse, mais un sourire sans conviction.

— Tu vas voir, on aura tellement de plaisir aujourd'hui que tu ne penseras même pas à elle. En plus, si je me fie à tout le monde qui vient me parler de la kermesse depuis que je suis arrivé, tu n'auras même pas le temps de penser tout court !

— Les gens ont vraiment aimé ça, hein ?

— Aimé ça ? *Hombre*, on a rendu des sans-abri heureux et humilié le méchant directeur dans la même journée… Qu'est-ce que tu croyais qu'il allait se produire ? Une révolte armée ?

— Haha, non.

— En plus, tu as vu tous les commentaires que les jeunes laissent sur ton YouTube : il y en a de nouveaux à chaque minute qui passe !

— Ouin, j'avoue. En plus, William m'a dit qu'on est rendus à genre cinq mille dollars. Il est censé avoir ajusté le compteur sur le site.

— Cinq mille ?

— Cinq mille.

Les yeux d'Ernesto s'ouvrent grand et il prend son ami par l'épaule.

— Tu sais, j'aurais besoin d'acheter quelques trucs… Si jamais tu ne sais plus trop quoi faire avec tout cet argent, je…

— Tu…

— Eh bien, on pourrait s'arranger et…

— Haha ! Penses-y même pas, mon petit Mexicain d'amour.

— Bah! répond ce dernier en feignant la déception. J'aurai essayé…

Dès son premier cours, Thomas observe en direct l'engouement que suscite sa toute dernière bravoure. Madame Marquette avait d'ailleurs cru qu'il voudrait la présenter à la classe, comme il l'avait fait pour le bal costumé, allant jusqu'à réserver pour l'occasion une télévision et un lecteur DVD.

— Je m'excuse, dit-il en s'adressant à ses compagnons de classe déçus, j'ai pensé que ça serait pas nécessaire maintenant que tout le monde peut aller voir la vidéo en ligne.

— Déjà trop blasé pour organiser la première de votre film, monsieur le réalisateur? blague l'enseignante.

— Euh… non, répond-il avec le plus grand sérieux. J'avais juste la tête ailleurs.

— Bon, une autre fois peut-être. Est-ce que tu veux quand même nous en parler? On n'a pas vraiment eu le temps avant les fêtes à cause des examens, mais je pense que ça intéresserait beaucoup tes camarades d'avoir tes commentaires, surtout ceux qui n'ont pas pu assister à l'événement.

Thomas hausse les épaules.

— OK, si vous voulez.

— Alors, mes élèves adorés, est-ce que vous voulez?

Suit un oui retentissant. Le garçon se rend donc à l'avant et, après un moment d'hésitation, il prend la parole:

— Bon, ben… je vais commencer par dire que j'apprécie tout le soutien qu'on a reçu depuis la vente du DVD à l'Halloween.

— Est-ce que vous allez en vendre un pour celui-là? l'interrompt aussitôt Sophie Hamel, son admiratrice numéro un (dans cette classe, du moins). Avec des scènes ajoutées, comme dans l'autre, pis avec vos autographes aussi!

— Euh… probablement, oui.

Pourquoi ni lui ni William n'y ont pensé, il l'ignore complètement!

— On attendait juste que… que… En tout cas, vous allez être les premiers à le savoir quand ils vont être prêts.

Note mentale: charger William de la création d'un DVD et s'attendre à ce que le travail soit terminé avant la fin de leur entretien.

— Comme je disais, poursuit Thomas, c'est vraiment cool de voir qu'il y a autant de personnes qui embarquent. Ça me motive beaucoup à continuer de trouver de nouvelles idées, même si…

— Est-ce que t'en as eu, de nouvelles idées? le coupe de nouveau Sophie.

— Euh… oui…

— Comme quoi?

— Est-ce que tu vas avoir besoin de volontaires? lui demande un autre élève avant qu'il n'ait le temps de répondre.

Madame Marquette se lève pour calmer un peu son groupe.

— Je suis très heureuse de constater votre intérêt, mais c'est très impoli d'interrompre constamment quelqu'un comme ça. Il y aura une séance de questions à la fin, OK? C'est bon pour vous? Pour l'instant, gardez le silence.

Elle se retourne vers Thomas et lui adresse un clin d'œil complice.

— Bon, tu peux y aller, mon grand.

— Merci. Ce que je voulais dire, c'est que ça prend beaucoup d'organisation pour créer des bravoures, c'est beaucoup de travail. Avec l'école, les devoirs, les examens, ça laisse pas beaucoup de temps pour faire autre chose. Pas que je me plaigne, mais… Disons que si je recevais pas autant d'appui, ça serait peut-être plus difficile de trouver la motivation pour faire ce que je fais.

Il s'arrête un instant et regarde par la fenêtre.

— Avant, je pensais beaucoup à ma petite personne; c'est normal quand on est jeune. Maintenant, c'est différent, c'est comme s'il y avait quelque chose de plus grand que moi…

C'est dur à expliquer, mais tout ce que je peux vous dire, c'est que cette chose-là me donne de l'énergie pour continuer. Pis ça me rend heureux… La plupart du temps en tout cas.

Un long silence suit, jusqu'à ce que l'enseignante laisse échapper un « wow » admiratif et attendri. C'est là que les mains se lèvent comme dans une chorégraphie de nage synchronisée et que le bombardement de questions commence : il y a les fans, les affamés de détails, les envieux, les lèche-bottes, les têtes pleines d'idées et de conseils, bref, tout le monde y met son grain de sel. Patient et, surtout, reconnaissant de pouvoir ainsi se changer les idées, Thomas répond à chaque élève avec une assurance posée. *Comme il a changé vite !* pense alors madame Marquette en l'observant. *C'est le jour et la nuit par rapport au début de l'année.* Lorsque la cloche sonne, elle propose à Thomas de venir la rencontrer en compagnie de Jean-François, le professeur d'informatique, après les classes.

Après une longue journée où toute la matière de ses cours semble avoir été écrite en chinois, Thomas se rend comme prévu au salon des professeurs pour la petite rencontre. Jean-François, avec qui il a échangé quelques courriels relatifs à la collecte pendant les vacances, est si enthousiaste de le voir que c'est lui qui semble avoir douze ans.

— Comment il va, mon philanthrope préféré?

— Pas pire, un peu fatigué.

— C'est ça qui arrive quand on travaille fort!

Thomas sourit, un peu mal à l'aise de ne pas pouvoir partager son entrain. Madame Marquette, quatrième café de la journée en main, vient s'asseoir avec eux.

— Bon, je vois bien dans les yeux de Thomas qu'il a besoin de repos, alors on ne va pas s'éterniser. Premièrement, je trouve que c'est vraiment beau, ce qui se passe présentement : la collecte, les bravoures, l'engouement que ça suscite chez tout le monde…

Monsieur Sigouin entre soudainement dans le local et passe juste à côté d'eux comme s'il n'avait pas vu le garçon. Ce dernier regarde ses enseignants d'un air espiègle, puis la dame poursuit :

— J'ai beaucoup aimé comment tu as parlé à la classe, j'ai trouvé ça très touchant, très important surtout. Voilà ce que je propose : comme Jean-François a des contacts dans d'autres écoles, je pense que ce serait facile d'organiser des espèces de conférences devant les élèves pour leur parler de tes projets et de ce qui te motive, comme tu l'as fait ce matin.

Le visage de Thomas en dit long, lui qui ne demande qu'à rentrer chez lui et à disparaître sous son couvre-lit.

— Ne t'inquiète pas. J'ai écouté attentivement ton discours et je sais que tu as déjà beaucoup de choses à faire. C'est pour ça que je te donnerais une exemption de devoirs la semaine qui précéderait une conférence. Pourvu que tu écrives ton texte à l'avance, ton discours compterait pour une composition et remplacerait aussi l'exposé oral d'étape. Si Jean-François est d'accord, je suppose qu'on pourrait faire la même chose pour les travaux d'informatique. Du montage vidéo à douze ans, ça peut bien compter pour quelque chose, non ?

— Je n'y vois aucun inconvénient, répond le professeur d'informatique. Tu pourrais même prendre tes périodes pour faire du montage.

— C'est cool, mais je veux pas faire ça devant les autres. C'est trop personnel, pis j'ai besoin de calme pour me concentrer.

— C'est pas obligé de se faire en classe ! Avec ton nouveau portable, tu pourrais t'installer dans mon bureau. Si je comprends bien madame Marquette, le but est simplement d'alléger ta charge de travail pour que tu puisses respirer un peu.

— Merci beaucoup, c'est gentil.

— C'est notre rôle de te soutenir, ajoute madame Marquette. Est-ce que l'idée des conférences te plaît ?

— Oui, si ça peut aider la cause, je le ferai.

— Parfait ! Je vais quand même m'informer auprès de l'administration pour la question des exemptions, mais, d'après moi, ce ne sera pas un problème. Bon, allez ! Va te reposer, on se revoit demain !

Thomas salue ses professeurs et quitte aussitôt l'école pour la maison. En chemin vers l'arrêt d'autobus, il s'imagine en train de prononcer un discours devant une salle bondée de monde, et une petite boule d'anxiété se forme dans le creux de sa poitrine.

Bah ! pense-t-il alors. *Un millier de personnes de plus ou de moins, qu'est-ce que ça change ?*

CINQ

Le vendredi suivant, à la fin des cours, nos quatre copains sont réunis au gymnase. Pendant qu'ils discutent, Thomas s'entraîne à faire des lancers inusités en vue du défi YouTube qu'il a imaginé. Suivant les suggestions de ses camarades, il essaie à peu près tout ce qui est humainement possible pour un garçon de son gabarit, et ce, avec un succès mitigé. Alors que Thomas a tenté une cinquantaine de fois de faire rebondir le ballon au plafond pour qu'il retombe dans le panier, William, qui prend des photos du gymnase avec son téléphone, commence à avoir des doutes :

— On risque d'être ici pour longtemps le jour où il faudra le faire pour vrai.

— Je sais, répond Thomas. Ça serait pas spécial si c'était facile.

— Mais tu penses vraiment que ça va rapporter beaucoup d'argent ? Et puis, comment tu peux savoir si celui qui t'envoie le défi va vraiment faire un don même si tu réussis ? Tu risques de perdre ton temps pour rien.

— C'est possible, mais je vais donner le bénéfice du doute à tout le monde, pour ceux qui suivent les règles. Premièrement, pour que j'accepte le défi, il doit être lancé sous forme de vidéo. Si c'était dans l'anonymat, on aurait peut-être un problème, mais là je pense que les gens oseront pas faire les cons. Ça serait mal vu, tu trouves pas?

— Ouin, t'as peut-être raison…

— De toute façon, c'est plus une question de ramener des visiteurs sur la chaîne pis sur le site, de les garder intéressés.

Karl, qui a pris le ballon et tente des lancers à son tour, est très impressionné par les idées de son ami.

— Comment tu fais pour penser à toutes ces choses-là? Tu prends des cours à l'université en cachette ou quoi?

— Haha! Pas du tout! Je regarde souvent des documentaires avec mon père, sur plein de sujets différents. Il m'explique des choses en dehors de ce qui se dit à l'écran, il parle presque tout le long de l'émission en fait, c'est vraiment drôle. Un moment donné, il y en avait un sur des histoires de succès, des gens qui sont partis de rien pour devenir riches et célèbres. Mon père m'a dit que ce que les gens interviewés avaient tous en commun, c'était non seulement d'avoir énormément d'ambition, mais aussi de savoir comment garder l'attention sur eux ou sur ce qu'ils font. Genre, il faut que les gens parlent de toi, en bien ou en mal, mais qu'ils parlent de toi. C'est comme ça que l'idée m'est venue : il me fallait quelque chose pour garder l'attention des gens sur la collecte pendant que je cherche une autre bravoure.

— Ah bon, répond Karl. C'est cool. As-tu des idées pour la prochaine ?

— Rien d'officiel. J'aime mieux prendre mon temps que d'organiser quelque chose de moins bon.

— On a mis la barre haute ! ajoute Ernesto.

— Effectivement. C'est bien connu, en général, les attentes des gens vont en augmentant, et non le contraire.

Le petit Mexicain vole le ballon à Karl et le lance n'importe comment sans regarder. Miraculeusement, le ballon traverse le filet sans même frôler l'anneau.

— Waouh ! Vous avez vu ça, bande de *muchachos* sans talent ? Qui est le meilleur, hein ? Qui est le meilleur ?

— C'est un défi ? demande Thomas en ramassant le ballon.

Il se donne un air faussement menaçant, et ses yeux brillent de détermination.

— Moi pis William contre toi pis Karl, partie de onze !

Ernesto lui renvoie la même énergie.

— Quoi, tu sais pas que je suis *loco* ? On commence avec le ballon !

— Tiens !

Thomas lui donne brusquement le ballon et se met en position défensive. Les deux autres garçons, qui savent bien que leurs amis font semblant, se regardent, haussent les épaules, puis embarquent dans leur jeu.

— Ta mère ! s'exclame William, à la française.

— La tienne ! lui répond Karl.

C'est alors que la partie improvisée commence, avec une intensité forcée qui vire assez vite à la rigolade lorsqu'il devient évident que les forces sont inégales : il n'y a que Thomas qui réussit des paniers, à part un ou deux lancers chanceux ici et là. Lorsqu'il est trop essoufflé pour continuer, Ernesto rend le ballon à Thomas.

— J'abandonne ! Je serai meilleur avec la caméra…

— Moi aussi ! s'écrie William en se dirigeant vers les abreuvoirs.

Karl reprend le ballon et tente de nouveau quelques paniers.

— Je pourrai quand même essayer des lancers, moi aussi ? demande-t-il d'un air piteux. J'ai rien à faire dans cette histoire-là, pis j'ai pas le goût de vous apporter à manger.

Thomas, à moitié empathique, à moitié cynique, ne peut s'empêcher de rire devant l'innocence absolue de son ami.

— Ben oui, tu vas pouvoir, tu seras mon assistant s'il y a des trucs à deux.

— Ah oui? Comme quoi?

— Je sais pas moi, je pourrais peut-être faire rebondir le ballon sur ta tête de toutes mes forces avant de l'envoyer dans le panier?

— Euh… je pense pas que j'aimerais vraiment ça…

— C'était une blague, Karl. On verra rendus là.

Karl sourit, rassuré.

Après avoir aidé le professeur à ranger son matériel, les garçons ramassent leurs affaires et s'habillent pour rentrer à la maison.

— As-tu eu des nouvelles pour tes conférences? demande William.

— Oui, je vous en ai pas parlé? J'en donne une mercredi prochain à la polyvalente Rita-Foisy. C'est Jean-François qui m'emmène, et je vais manquer les deux derniers cours de la journée.

— Chanceux! s'exclame Karl.

— Hum, je te rappelle que c'est pour aller faire un discours devant une école presque au complet.

Juste à y penser, Karl en a des frissons.

— Oh! Euh… ouin, peut-être pas si chanceux que ça, en fin de compte.

— Est-ce que t'as écrit ton texte? demande William.

— En partie, oui. Dans le fond, c'est plus des notes qu'autre chose, genre aide-mémoire. Mais il va falloir que je compose un vrai texte pour le cours de madame Marquette.

— Tu dois être stressé!

— Pas pour l'instant, mais je vais sûrement l'être la veille.

Ernesto lui tape doucement l'épaule.

— On devrait être là pour te soutenir, *amigo*…

Thomas s'arrête sec.

— C'est fou, j'y avais même pas pensé! Il est pas trop tard pour demander si vous pouvez ve…

— J'ai dit qu'« on devrait », l'interrompt Ernesto, PAS QU'ON EN A ENVIE!

Les trois amis de Thomas s'esclaffent, bien heureux de se payer sa tête à lui pour une fois.

— Très drôle, les gars, très drôle.

Ils quittent ensuite le collège et parcourent ensemble la courte partie de trajet qu'ils ont en commun.

— Will, tu penses terminer les DVD en fin de semaine?

— Sans faute.

— Cool, on va se taper des petites ventes pendant les midis comme l'autre fois. Ça risque d'être amusant.

— Cette fois-ci, il va falloir faire plus attention à la caisse ! les prévient Karl en faisant allusion à ce qui s'est passé avec le directeur.

— Pas de danger, Jean-François va la garder à son bureau. De toute façon, je pense que monsieur Sigouin a eu sa leçon.

Ernesto se met à rire.

— Il me semble qu'il se fait plus discret que d'habitude, avez-vous remarqué ?

Thomas, le seul qui avait des rapports (trop) fréquents avec lui, acquiesce vivement.

— C'est clair ! Pourtant, comme les gens connaissent pas la raison pour laquelle il a accepté de jouer le jeu, je suis certain qu'il a gagné du respect.

— J'avoue, ajoute William. D'habitude, le monde aime ceux qui ont le sens de l'humour pis qui se prennent pas au sérieux…

— Exact. Mais bon, dans sa tête, il voit probablement pas les choses comme ça.

Trop impatient de fuir le froid, Ernesto décampe.

— C'est ici qu'on se quitte, *amigos*. Appelez-moi si vous voulez faire quelque chose en fin de semaine !

Ils se disent donc tous au revoir et prennent la route qui les mènera au confort et à la chaleur de leurs maisons respectives.

Après le souper, Thomas monte à sa chambre et allume son ordinateur portable. Il relit le court texte qu'il a écrit une heure auparavant et démarre sa webcam. « Bonjour tout le monde ! C'est moi, Thomas Hardy, et j'ai quelque chose à vous porpo... Aaargh ! » Puis il recommence, encore et encore, jusqu'à ce qu'il réussisse à passer au travers de son texte en prononçant les mots correctement tout en ayant l'air le plus cool possible (ce qui comprend un changement de t-shirt) :

« Bonjour tout le monde ! Je m'appelle Thomas Hardy et j'ai quelque chose à vous proposer.

Vous avez probablement déjà vu une ou deux vidéos dans lesquelles il y a des jeunes qui font des lancers vraiment malades dans un panier de basketball.

Il paraît que les plus impossibles ont été truqués à l'ordinateur, mais je crois quand même que la plupart sont vrais.

Eh bien, moi aussi j'aimerais essayer, pour une bonne cause, pis j'ai besoin de votre aide !

Ce que je vous demande, c'est de me suggérer des lancers originaux ou difficiles, en échange de la promesse d'un don pour la grande collecte que j'organise.

Pour vous aider à trouver, j'ai mis des photos du gymnase de mon école sur le site des bravoures.

L'adresse est dans la description de toutes mes vidéos, incluant celle que vous regardez en ce moment.

L'idée, c'est que plus le degré de difficulté du lancer est élevé, plus le don doit l'être aussi.

C'est pas tout : les défis doivent absolument être envoyés à partir de votre webcam. Vous avez juste à publier votre vidéo en réponse à la mienne.

Pour ceux qui ont moins de dix-huit ans, il faut qu'un de vos parents soit à vos côtés pour que le défi soit valide.

Je vous demande juste d'être honnêtes pis de prendre en considération que j'ai juste douze ans. Je suis pas pire pour mon âge, mais c'est certain qu'il y a certaines choses que je suis physiquement incapable de faire.

Je vous remercie de votre soutien et j'attends vos défis !

Adios ! »

Voilà qui devrait faire l'affaire ! Thomas met aussitôt sa proposition en ligne et écrit à Annick. Tandis qu'il navigue sur le Web, sa mère l'appelle du salon. Il met donc son ordinateur en mode veille et part aussitôt la rejoindre.

— Regarde ce qui joue à la télé ! lui dit-elle en montrant l'appareil.

— C'est quoi ?

— *La Guerre des tuques* ! Tu te rappelles, l'autre jour, quand je t'ai parlé de ce film-là ? C'est un classique de ma jeunesse, j'avais treize ou quatorze ans à l'époque.

— Pis tu veux que je le regarde avec vous, c'est ça ? demande-t-il en regardant Jasmine.

— Oh, allez ! Ça fait longtemps qu'on n'a pas regardé un p'tit film en famille !

— Oui, mais c'est vieux, tu crois que je vais aimer ça ?

— Je suis certaine que ç'a bien vieilli. De toute façon, ça va être intéressant pour toi de voir comment les choses étaient à l'époque.

Thomas accepte et s'installe confortablement.

— C'est fou, ajoute Diane. Les années quatre-vingt sont presque aussi loin pour vous que les années cinquante l'étaient quand j'avais ton âge. Le temps passe tellement vite…

Elle soupire, serre sa petite contre elle et plonge de nouveau dans ce *Conte pour tous* qui l'avait tant marquée à l'époque. Même son fils, pourtant habitué à un autre genre de cinéma, finit par se laisser séduire par le récit : l'innocence des amitiés, de l'amour, la liberté des vacances, les magnifiques paysages enneigés du Québec, bref, l'enfance avec un grand E. Impressionné par l'imposante forteresse glacée qui fait l'objet du film, le garçon se met soudainement à rêvasser.

Et nous savons bien où cela risque de nous mener...

SIX

Les réponses à l'invitation de Thomas ne se font pas attendre : dès dimanche, il y en a déjà une douzaine. Mis à part une poignée d'imbéciles qui n'ont rien de constructif à apporter au projet (dont un qui porte un masque de loup-garou et hurle tout le long de sa vidéo), les autres défis semblent provenir de personnes sincères qui ont bien compris le principe du jeu. Les lancers proposés sont faisables, quoique certains d'entre eux soient assez difficiles, et certains dons promis en échange sont encore plus substantiels que prévu. Le plus gros montant offert provient d'ailleurs de l'homme qui s'est humilié au stand de basketball durant la kermesse. Comme quoi, malgré sa prétention, il reste une âme plus que généreuse.

Pas de temps à perdre ! Les membres du quatuor se donnent de nouveau rendez-vous au gymnase le lendemain pour se mettre à l'œuvre. Au menu du jour : deux défis bien particuliers qui risquent de nécessiter beaucoup de patience. Avec le caméscope, Ernesto s'occupe des prises éloignées, tandis que William a opté pour la caméra intégrée de son téléphone afin de garder un look Web pour ses plans rapprochés. Le premier lancer choisi est celui de monsieur le-professionnel-du-basketball et consiste en un tir de la ligne du milieu (ce qui est déjà en soi assez difficile pour un garçon de douze ans) avec les yeux bandés.

— Tu devrais le lancer comme une catapulte, lui conseille William lorsque le ballon de Thomas, pour la dixième fois, tombe avant même d'atteindre la cible.

— Il m'en manque combien à peu près ? demande ce dernier.

— Je dirais à peu près deux mètres.

— Ouch ! J'ai pas vraiment le choix alors. Peut-être le lancer à un bras comme un ballon de football ?

— Tu peux essayer.

Thomas essaie encore à maintes reprises, sans succès. Bien qu'il réussisse à l'envoyer assez loin, le ballon touche rarement l'anneau. Il finit donc par suivre le conseil de son ami et, après un grand nombre de tentatives plus prometteuses, réussit enfin le panier.

— Wouhou ! s'écrie Ernesto en courant vers Thomas.

Puis les quatre amis célèbrent bruyamment cette première victoire en sautant comme des singes, une partie intégrante du plaisir de faire et de regarder de telles vidéos. Sans perdre trop de temps, les garçons s'attaquent ensuite au deuxième défi : le ballon doit être lancé du haut des estrades et faire un bond avant de pénétrer dans le filet. Lorsqu'il devient évident que ce dernier n'est pas assez gonflé pour rebondir adéquatement et qu'aucun professeur n'est présent pour leur déverrouiller le cagibi, Thomas décide de remettre la tentative au lendemain.

Nous sommes mardi. William a terminé la production des DVD avec son père, et ses amis et lui mangent en vitesse afin de pouvoir installer leur petit kiosque de vente. Comme l'effet de nouveauté s'est déjà dissipé, les garçons font la promotion de leur produit avec un enthousiasme moins débordant et leur public s'en aperçoit aussitôt.

— Pourquoi vous avez pas mis vos costumes de mousquetaires ? demande un élève.

— Ouin, ajoute un autre à la blague. Vous auriez pu au moins vous dessiner des moustaches !

Une camarade de classe d'Ernesto s'avance et observe un exemplaire de près.

— En plus, vous les avez même pas autographiés !

Les commerçants en herbe se regardent d'un air surpris et se consultent brièvement, après quoi William court chercher son téléphone. Puis, à son signal, Thomas se lève et monte sur la table.

— Bon, on se calme! C'est pas l'habit qui fait le moineau!

William tousse.

— Euh…, reprend Thomas. Le moine! Qui fait pas le moine! En tout cas, approchez, approchez! M'en vas vous conter une histoère!

Il pointe un doigt vers Ernesto et lui fait signe de le rejoindre.

— Il était une fois un petit Mexicain sans le sou…

Son ami le regarde d'abord d'un air confus, mais comprend assez rapidement ce qu'il attend de lui. Il montre donc ses poches vides aux élèves qui le regardent.

— Il était très, très triste…, continue Thomas.

Ernesto prend une expression déprimée et fait semblant de pleurnicher.

— Mais, un beau jour, les élèves du collège Archambault, inspirés par Thomas le Magnifique…

Le comédien regarde son ami d'un air sceptique, ce qui fait rire tout le monde.

— Le MAGNIFIQUE, j'ai dit!

Ernesto lui concède alors son titre en faisant la révérence, ce qui déclenche des applaudissements.

— Comme je disais, les élèves du collège Archambault, attristés par le fait que le pauvre garçon n'avait même pas un toit sous lequel dormir, ont décidé de s'unir pour lui venir en aide…

Thomas fait signe aux jeunes de se tenir la main. Comme la plupart d'entre eux ne se prêtent pas au jeu, il finit par s'impatienter et reprend sa voix de vieux monsieur rabougri :

— M'en vas vous motiver moé, vous allez voère çâ !

Il se penche vers William et lui demande de trouver un morceau de musique à faire jouer sur son téléphone.

— Ben, je filme, là ! lui répond William.

— OK, OK ! Karl ?

Les yeux de ce dernier s'ouvrent grand.

— Quoi ?

— Chante-nous une chanson !

— Hein ? T'es malade ?

— Oh, allez ! Tu disais que t'étais tanné d'avoir toujours le même rôle ! Là, je te donne la chance de te démarquer !

— Je chante faux !

— C'est pas grave, Ernesto joue faux lui aussi !

— Hé ! s'écrie ce dernier. Attention à ce que tu dis, *amigo* !

— Haha ! Je te niaise, tu sais bien que t'es le meilleur ! Karl, t'écoutes souvent du Céline Dion avec ta mère, tu dois connaître les paroles d'au moins une chanson…

— C'est pas moi qui aime ça, c'est elle! répond Karl, les joues rouges. Elle fait jouer sa musique super fort dans la maison, qu'est-ce que tu veux que j'y fasse?

— Peu importe, on a besoin de toi en ce moment! s'exclame Thomas avant de se retourner vers son public. Mes amis, par applaudissements, qui ici a envie d'entendre Karl chanter?

— Thomas, arrête! proteste Karl.

Ça y est, tout le monde se met à scander son nom en tapant des mains: « KARL! KARL! KARL! KARL! KARL! » Comme porté par l'enthousiasme de ses compagnons, il finit par s'avancer et prend une grande inspiration. C'est à ce moment précis que l'impossible se produit: Karl, qui est normalement le dernier à chercher à attirer l'attention, entre complètement dans son personnage de participant de *Star Académie* et se met à chanter un succès de Céline:

— *J'ai déposé mes armes…*

Les encouragements s'intensifient.

— *… à l'entrée de ton cœur, sans combat…*

Sifflements, rires.

— *… et j'ai suivi les charmes…*

— VAS-Y, KARL! crie un spectateur.

— … *lentement en douceur, quelque part là-bas…*

— WOOOOOOUH! s'exclament quelques autres.

Le garçon, habituellement timide, poursuit sa chanson, complètement dans son rôle. Ses amis échangent des regards abasourdis et l'encouragent à leur tour, allant jusqu'à chanter le refrain avec lui (le seul passage de la chanson qu'ils connaissent).

— *Tout l'or des hommes ne vaut plus rien, si tu es loin de moi! Tout l'amour du monde ne me fait rien, alors surtout ne change pas…*

Le spectacle se poursuit encore quelques instants, jusqu'à ce que deux surveillants, attirés par le brouhaha, viennent y mettre un terme, au grand déplaisir des jeunes.

— Aaaaaah! Pourquoi vous les laissez pas continuer? Ils font rien de mal!

— C'était le meilleur dîner de l'année! Qu'est-ce que ça dérange, qu'on s'amuse un peu?

— Boooooooooou!

— Chooooooooooooooooooou!

Et ainsi de suite. Les animateurs improvisés, heureux d'avoir su soulever les passions, obéissent sans rouspéter et saluent leur public.

Après avoir remis la petite caisse (et la maigre recette qu'elle contient) à Jean-François, Thomas rejoint ses amis à leur table habituelle pour passer avec eux les quelques minutes qui restent avant la cloche.

— C'est décevant, dit William. On n'en a presque pas vendu comparativement à l'autre DVD.

Ernesto se veut plus optimiste :

— Mais, si je me souviens bien, c'était aussi comme ça la première journée à l'automne. Le lendemain, ils se sont mis à se vendre comme des petits pains chauds.

— Peut-être, sauf qu'il y en avait plein qui nous promettaient de revenir le lendemain avec des sous. Cette fois-ci, on dirait qu'ils sont juste venus par curiosité, pour voir ce qu'on allait faire.

— Ils ont pas été déçus en tout cas, commente Thomas en tapant dans la main de Karl. Ils vont se rappeler ce moment-là pour le reste de leur vie grâce à notre nouvelle star de la chanson !

Karl sourit fièrement.

— Pfft, exagère pas quand même !

— Mais t'as raison, Will, poursuit Thomas. Peut-être qu'on serait mieux d'ajuster le tir. C'est clair que ça enlève un peu de prestige aux DVD que le contenu soit en ligne parce que, dans le fond, les gens paient juste pour les scènes ajoutées.

Ernesto se gratte le menton, pensif, puis donne son avis :

— Je crois aussi qu'au début ils étaient motivés par la bonne cause parce que c'était tout nouveau. Sauf qu'ils ne vont pas passer toute l'année à faire des dons…

— J'avoue, c'est un bon point. On peut pas en demander trop aux mêmes gens. Si on veut que les dons continuent à rentrer, il va falloir compter sur de nouveaux spectateurs.

— J'ai une idée ! s'exclame William. Pourquoi on n'attend pas la fin de l'année pour mettre ça en DVD ? On aura sûrement filmé une autre bravoure d'ici là, peut-être d'autres choses aussi. On va pouvoir leur en donner plus pour leur argent !

Les trois autres acquiescent.

— Je suis d'accord, répond Thomas, ça risque de valoir plus la peine pour les gens…

— On pourra même les mettre en vente sur le site Web ! ajoute William. C'est pas tellement compliqué de mettre un disque dans une enveloppe pis d'aller le poster !

— Excellente idée, *amigo* ! Comme ça, on va aller chercher le grand public au lieu de téter le monde d'ici.

Thomas se met à rire.

— Quoi ? demande Ernesto.

— « Téter », c'est rare que t'utilises des expressions comme ça, c'est tout.

— Bah ! Il faut bien que je m'intègre comme il faut à la culture québécoise !

C'est au tour des deux autres de rigoler.

— C'est déjà fait, mon gars, trois fois plutôt qu'une !

La cloche se fait entendre et les amis se donnent de nouveau rendez-vous au gymnase dans deux heures pour poursuivre la séance de défis.

SEPT

— AAʼAAAAARGH ! TU ME NIAISES ? s'écrie Thomas lorsque le ballon tombe à l'extérieur de l'anneau après avoir roulé doucement autour.

Cela fait déjà presque une heure qu'il essaie de relever le défi et, malgré trois ou quatre bons lancers qui ont bien failli atteindre la cible, il n'y arrive pas.

— T'abandonnes ? demande William en regardant son ami s'asseoir sur un banc.

— Non, j'ai juste besoin de prendre une pause avant de devenir fou…

Karl ramasse le ballon et drible maladroitement jusqu'à Thomas.

— J'aimerais ça, essayer, dit-il.

— Pourquoi tu me le demandes ? Fais-le, c'est tout.

— Pour vrai, je veux dire, avec la caméra qui filme.

William regarde Thomas comme pour vérifier si cela l'offusquerait.

— Fais ce que tu veux, répond ce dernier avec un brin d'impatience. On est dans un pays libre…

Ce n'est pas que le jeune Hardy veuille la gloire pour lui seul ; il s'en veut simplement de ne pas réussir le panier. Malgré le manque d'enthousiasme de son ami, Karl monte à la plus haute marche de l'escalier des estrades et commence à imiter sa technique : en tenant le ballon à deux mains, il le lance au sol de toutes ses forces afin que celui-ci rebondisse jusqu'au panier. Ayant observé tous les essais de Thomas, il possède une longueur d'avance sur lui et sait exactement où le ballon doit atterrir pour arriver au bon endroit. Ne reste plus qu'à mettre dans son lancer la quantité voulue de force…

Au début, Karl se voit forcé de redescendre chercher son ballon à chaque lancer raté, ce qu'il fait sans rouspéter, le regard rempli de détermination. Mais lorsque Thomas réalise que les essais de son copain sont généralement plus prometteurs que les siens, il met de côté son orgueil et se place en dessous du panier pour pouvoir récupérer le ballon, permettant ainsi à Karl de rester sur place tout en gardant sa concentration.

— Allez, *muchacho* ! s'exclame Ernesto pour l'encourager. Montre-nous de quoi tu es capable !

À son onzième essai, Karl réussit un lancer parfait qui rebondit non seulement sur le sol, mais aussi en angle contre le panneau avant de pénétrer dans le filet. Ses amis crient de joie et courent vers lui.

— Ça compte? demande-t-il innocemment.

— Ben oui, lui répond Thomas, ça arrive tout le temps chez les pros d'utiliser le panneau pour lancer!

Triomphant, Karl lève les bras et salue une foule imaginaire. Malgré le fait qu'il aurait préféré réussir le panier lui-même, Thomas remarque l'énorme fierté dans les yeux de son ami et réalise que, tout compte fait, il s'agit sans doute d'un bien meilleur dénouement.

Lorsqu'il quitte ses amis pour se diriger vers son arrêt d'autobus, Thomas se met à penser à la conférence du lendemain, et son estomac se noue instantanément. Bien qu'il maîtrise son sujet (il s'agit après tout de SA vie), il a peur que ses propos manquent de pertinence pour la majorité des élèves. Il imagine aussi le silence inconfortable qui suivra chacune de ses blagues, puis le son des criquets dans la salle. C'est une chose de prendre la parole un bref moment durant un bal costumé ou une kermesse, c'en est une autre de se retrouver seul devant un public qui n'est là que pour vous écouter.

Dès qu'il rentre à la maison, il se change les idées en faisant un montage rapide des deux lancers filmés par Ernesto (l'angle de William et les niaiseries qu'ils ont faites pendant leurs séances d'essais feront partie du DVD de fin d'année) et les met en ligne en réponse aux défis vidéo correspondants. Il regarde aussi quelques nouveaux défis proposés par ses abonnés, heureux de constater que l'intérêt des gens pour sa bonne cause ne fait qu'augmenter. Jusqu'à ce jour, sa première bravoure a été vue par plusieurs centaines de milliers de personnes, un nombre dont il réussit difficilement à concevoir l'ampleur. Même visiter sa page Facebook devient un véritable travail à temps partiel, tellement il reçoit de messages et de demandes d'amitié virtuelles (et même réelles!). Qui aurait cru qu'il aurait plus de huit cents amis?

Heureusement, Thomas n'a pas commis l'erreur de publier son adresse personnelle de courriel et celle-ci n'est connue que de ses proches. Il y a d'ailleurs une certaine fille qui ne lui a pas écrit depuis leur journée de ski dix jours auparavant. Bon, elle a fait ce petit commentaire sur une photo de lui, cliqué sur « J'aime » sur la vidéo où il propose les défis de basketball, mais c'est tout. *Elle est probablement pas mal occupée à s'intégrer dans sa nouvelle école*, se dit-il pour se rassurer. Il pourrait téléphoner, c'est sûr, mais un mélange d'orgueil et de crainte l'en empêche. *D'un coup sa voix est froide et neutre, d'un coup…*

Après un souper rapide où il ne prononce pas un mot, Thomas remonte se terrer et relit les grandes lignes de son discours. En réalisant qu'il risque de s'enfarger dans ses blagues et de produire le résultat qu'il essaie d'éviter, il les retire du texte et choisit plutôt de se faire confiance : vaut mieux ne pas forcer les choses, il saura bien trouver quelques trucs drôles à dire aux moments opportuns (du moins, c'est ce qu'il souhaite). Il n'ose même pas imaginer le stress que doivent ressentir les humoristes avant de commencer leurs spectacles, surtout que, dans leur cas, les rires du public sont une nécessité absolue.

Lorsqu'il visite sa chaîne YouTube, Thomas constate que les deux personnes à qui il a répondu par vidéo ont déjà commenté ses lancers, ce qui montre qu'ils devaient attendre sa réponse avec impatience et vérifier régulièrement pour des mises à jour. *C'est tellement rapide,* pense-t-il, *ça n'a pas de sens !* D'autant plus qu'il reçoit à l'instant un courriel de William lui annonçant que les dons ont bel et bien été envoyés dans le compte PayPal de son père. *Sérieux ? Tout ça en deux heures ?*

On cogne à sa porte.

— Je peux entrer ? lui demande son père.

— *Sí !*

— Te sens-tu d'attaque pour demain ?

— D'attaque ? Bof, je sais pas trop.

— Ça va bien aller, tu vas voir. Je te connais, un coup que tu vas avoir brisé la glace, ça va être l'expérience de ta vie !

— Tu crois ?

— Thomas Hardy, le petit chenapan qui volait la vedette avec ses spectacles improvisés pendant les anniversaires des autres, celui qui voulait toujours avoir l'attention sur lui ? Devant une salle remplie de fans ? Ne me fais pas rire !

— Ouin… Dit de même…

C'est au tour de sa mère de venir le voir.

— Ça va, mon grand ?

Il acquiesce.

— J'ai pensé que tu pourrais mettre la belle chemise que grand-maman t'a donnée à Noël.

— Franchement, chérie, répond Xavier à la place de son fils.

— Quoi ?

Thomas est sur la même longueur d'onde que son père :

— Laisse faire, *mom*, je vais m'habiller en adolescent normal, c'est meilleur pour mon image.

— Ton image ? Hou là là, monsieur l'adolescent s'est payé un publiciste ou quoi ? Et puis, ce n'est pas à treize ans qu'on devient adolescent ?

— Justement, oui, pis c'est dans trois mois…

Diane s'avance et lui fait un gros câlin.

— Alors, laisse-moi profiter de mon petit garçon pendant trois mois encore.

— *Mom !*

— Quoi ?

Elle repart, l'air espiègle, sous les regards désapprobateurs du père et du fils.

— Ah, les mères ! soupire Xavier. Elles vous empêcheraient de grandir si c'était possible.

— Une chance que tu serais là pour ne pas la laisser faire ! blague Thomas. Ça ferait tout un combat épique !

En imaginant la chose, un grand frisson traverse le paternel.

— Tu n'as pas vu souvent ta mère en colère, répond-il. Si c'était le cas, tu comprendrais que je te laisserais probablement t'arranger avec tes troubles !

— Pfft ! Mauviette ! lance Thomas.

Xavier rit un bon coup et laisse son fils à ses occupations.

Parfois, la vie nous envoie un petit coup de pouce inespéré : tandis que Thomas sort de la salle de bain, prêt à aller dormir, Charles l'intercepte au passage et s'adresse à lui avec une voix étonnement normale :

— C'est demain, ton discours, c'est ça ?

— Euh… oui… Pourquoi ?

— Juste de même. C'est cool comme expérience, tu dois être pas mal nerveux.

— Je le serais moins si tout le monde arrêtait de le dire, mais comme c'est parti, j'ai pas trop le choix…

Habitué à être sur la défensive, Thomas a une certaine agressivité dans la voix. Son grand frère s'en rend compte et semble un peu blessé (une autre première !).

— Tu devrais pas l'être en tout cas.

— Ah non ?

— Nah ! Je suis certain que tu vas être bon. T'as ça dans le sang…

Il fait de la fièvre, lui, ou quoi ? pense Thomas.

— En tout cas, poursuit Charles, bonne chance, mec !

Il lui donne un petit coup sur le bras, puis continue son chemin. Thomas reste planté là quelques instants, perplexe quant à la nature réelle de cet échange. Il se pince alors une joue, juste pour être bien certain qu'il n'a pas rêvé, et se rend directement à son lit.

— Bonne nuit, mon grand, lui chuchote sa mère derrière la porte alors qu'il est déjà étendu dans le noir.

— Bonne nuit.

Dommage que Diane ne puisse voir le grand sourire de fierté qui flotte sur le visage de son fils…

HUIT

S'il est difficile de dormir la veille d'un exposé oral, ça l'est encore davantage lorsqu'on doit parler devant un public cinquante fois plus nombreux que celui de la classe. Tous les scénarios possibles (et impossibles) ont défilé dans la tête de Thomas tout au long de la nuit, l'empêchant constamment de tomber dans un sommeil profond. Au moins, l'événement à venir est si angoissant que tout sentiment de fatigue est pulvérisé par l'adrénaline. Aussi nerveuse que son garçon, Diane ne cesse de tourner autour de lui pour s'assurer qu'il ne manque de rien.

— *Mom!* Tu me stresses!

— Tu es certain de ne pas vouloir te reposer un peu plus? Je pourrais appeler la secrétaire de ton collège et lui dire que tu seras seulement là à midi…

— Oui, je suis certain. Normalement, ça serait la plus belle chose que tu pourrais me proposer, mais là, si je reste ici, je vais juste penser à ce qui s'en vient, pis je vais devenir fou!

— Bon, c'est comme tu veux. J'aurais tellement aimé ça, te voir faire ton discours…

— Une autre fois, OK ? Tu le sais, que je suis censé faire plusieurs conférences. J'aime mieux voir comment ça se passe avant, c'est tout.

— Est-ce que, moi, je peux y aller ? demande Jasmine.

Thomas la regarde d'un air incrédule.

— Euh… pas vraiment.

— Je t'ai bien laissé venir à mon spectacle de Noël !

— Laissé venir ? T'es drôle, toi ! C'est maman qui m'a obligé !

— Thomas ! s'exclame Diane. Franchement !

Le garçon soupire.

— Tu voulais pas être là ? l'interroge Jasmine, la mine piteuse.

Il n'en faut pas plus pour que Thomas comprenne qu'il se comporte avec sa sœur de la même façon que Charles le fait habituellement avec lui. Il se lève et enroule ses bras autour d'elle.

— Mais non, dit-il, c'était une blague. J'aurais manqué ça pour rien au monde.

Il jette un coup d'œil à sa mère et la voit sourire.

— Tu viendras avec maman une prochaine fois, OK ?

La gamine acquiesce vivement et retourne à ses céréales.

Comme prévu, la matinée à l'école dévie un peu le cours des pensées de Thomas et il arrive presque à se faire croire qu'il s'agit d'une journée ordinaire. Presque. Il faut dire que pratiquement tout le monde a quelque chose à lui dire à propos de ses projets. *J'ai créé un monstre...*, pense-t-il en voyant ses camarades de classe entourer son bureau. À tous ceux qui lui proposent des idées de lancers, il dit simplement : « Vous connaissez les règles, envoyez-moi ça en vidéo. » Et à tous les autres : « Je mettrai une de mes conférences en ligne, j'espère que ça répondra à toutes vos questions... » C'est probablement la première fois de sa vie qu'il est content d'entendre la sonnerie du DÉBUT des cours. La matière enseignée pendant l'avant-midi devient d'ailleurs, dans les circonstances, bien plus reposante que sa projection mentale de l'événement à venir.

Vers midi, alors qu'il s'apprête à quitter le collège, Thomas fait un petit détour par la cafétéria pour voir ses amis.

— Salut, les mecs !

Aucune réponse. En fait, ils continuent de discuter ensemble sans même se retourner.

— Euh... SALUT ! répète-t-il.

Toujours pas de réaction. Thomas reste planté là quelques instants à essayer de comprendre, jusqu'à ce que Karl brise enfin le silence :

— Désolé, les gars, je suis pas capable ! On fait juste te niaiser, c'était une idée d'Ernesto.

— Traître ! s'exclame ce dernier en pointant son index vers Karl.

Puis tous se mettent à rigoler.

— Vous êtes cons, dit Thomas en s'assoyant. Vraiment pas de but, votre affaire.

Ernesto lui tend son pudding.

— Bah, on voulait te changer un peu les idées. Tu as mangé ?

— Non, mais j'ai pas faim du tout. Merci quand même.

— Mmmmm, puuuudding ! s'extasie Karl en étirant le bras pour le prendre, ce qui lui vaut une bonne tape sur la main.

— Pas touche, *amigo* ! Tu sais bien que tu es tombé dans la marmite quand tu étais petit !

Celle-là, même Karl la trouve drôle.

— Bon, il faut que j'y aille, je voulais juste… OK, JE L'ADMETS ! J'avais juste besoin d'encouragement de la part de mes amis !

— Oooooh, répond Ernesto d'un air moqueur. Que c'est touchant, mon petit caramel sucré d'amour !

Mais il reprend vite son sérieux :

— J'arrête. Bonne chance, *compañero*!

— On est avec toi, mon gars, ajoute William.

Karl profite de l'inattention d'Ernesto pour lui dérober son pudding.

— Bonne chance, Thomas! dit-il en cachant le contenant sous la table.

Ernesto se lève aussitôt.

— Vous voyez ce qui arrive quand il prend trop confiance en lui? dit-il à ses deux copains avant de sauter sur le dos du voleur et de faire mine de le rouer de coups.

Thomas et William se regardent et secouent la tête.

— C'est n'importe quoi, commente ce dernier.

— En effet.

— Hé, en fin de compte, peut-être que j'aimerais ça, y aller avec toi la prochaine fois. Tu penses que je pourrais?

— C'est sûr. En fait, j'aimerais vraiment qu'on soit là tous les quatre. Je vais voir un peu comment ça se passe, mais il me semble que ça serait plus drôle pis plus intéressant si les quatre mousquetaires se partageaient la scène…

William acquiesce et cogne son poing contre celui de son ami.

— Je suis certain que ça va bien aller, mec. À demain!

— Oui, à demain!

Thomas part rejoindre Jean-François dans le hall d'entrée pour le grand départ.

En chemin, Thomas est incapable de supporter plus de quelques secondes de silence. S'il n'est pas en train de parler, il pose des questions à son enseignant pour vite combler le vide.

— T'aurais fait quoi si t'étais pas devenu un prof?

— Hum, bonne question. Je travaillerais sûrement encore dans l'industrie des jeux vidéo.

— Encore? demande Thomas les yeux tout écarquillés. T'as déjà conçu des jeux?

— Haha! C'est toujours la même réaction! Eh bien, en fait, je n'étais pas concepteur. J'ai commencé comme simple testeur et ensu...

— TESTEUR? l'interrompt le garçon. T'étais payé pour JOUER?

Jean-François rigole de nouveau.

— Oui, en effet. Mais ce n'était pas vraiment comme tu dois l'imaginer en ce moment. C'était un boulot très répétitif. Je pouvais passer jusqu'à trois mois sur un seul projet à repasser encore et encore sur les mêmes choses! Ça arrivait parfois qu'on ait beaucoup de plaisir, par exemple quand on testait les capacités en ligne d'un *shooter* multijoueurs. LÀ, on s'éclatait dans le local! Mais ce genre de test durait rarement plus d'une semaine.

— Wow, quand même ! C'est mieux que d'emballer de la bouffe dans une épicerie !

— En général, oui, je te l'accorde, mais il arrivait aussi qu'on me confie des projets pas mal moins stimulants pendant la saison basse.

— La saison basse ?

— Oui, quand la compagnie pour laquelle je travaillais recevait moins de contrats de la part des grands noms de l'industrie. J'ai déjà passé un bon mois à tester des jeux pour enfants. *LeapFrog*, tu connais ?

— Yark ! Il fallait que tu joues à ça ? C'est pour les bébés !

— Pas juste jouer, tester de fond en comble et à répétition toutes les fonctions de l'appareil, huit heures par jour ou plus s'il y avait des heures supplémentaires. Les zombies, ça n'existe pas juste dans les films, crois-moi !

— Trop déprimant comme job ! Mais t'allais dire autre chose après testeur, c'est quoi ?

— Oh, je voulais juste dire que j'ai ensuite travaillé comme programmeur pour Ubisoft. J'aimais quand même ça, mais quand s'est présentée la possibilité de venir enseigner ici, le choix était facile à faire.

— Dans quel sens ?

— Disons que mon ancien métier m'obligeait à m'isoler. C'est très particulier, la programmation.

Mais, avec vous autres, c'est le contraire, il y a beaucoup plus d'interactions sociales et ça me ressemble davantage. En plus, vous me gardez jeune !

— Ah bon. Cool !

Lorsqu'ils arrivent à destination, Thomas fantasme brièvement sur un moyen de prendre la fuite. Il inspire profondément, se donne un air assuré et suit Jean-François à l'intérieur du collège.

— Tu vas voir, lui dit celui-ci en sentant son anxiété. Tout va aller comme sur des roulettes.

— Je sais, répond Thomas par orgueil.

L'école est moins grosse que la sienne et, en comparaison, elle semble un peu désuète. La peinture est défraîchie et il y a comme une odeur de renfermé dans le hall, ce qui contraste avec l'aspect toujours propre et soigné des locaux du collège Archambault. L'ami de Jean-François, qui enseigne dans cet établissement, les attend près de la porte d'entrée. Il semble avoir une dizaine d'années de plus que le sympathique professeur d'informatique.

— Salut, mon chum ! lance-t-il en offrant une bonne poignée de main à son copain.

— Hé ! Comment il va ?

— Il va bien, il va bien !

Thomas n'a jamais compris cette drôle d'habitude de parler à la troisième personne.

— Je te présente Thomas Hardy, le célèbre petit philanthrope !

— On se rencontre enfin ! Moi, c'est Michel.

— Enchanté, répond le garçon en essayant de se montrer au-dessus de ses affaires.

— Pas trop nerveux ?

Ça y est ! Si une autre personne lui pose cette question, il va sortir les poings !

— Non, pas du tout ! ment-il.

Michel regarde son collègue d'un air impressionné.

— Eh bien, tant mieux ! Laisse-moi te dire que les élèves prennent vraiment la collecte très au sérieux. On a ramassé presque deux mille dollars jusqu'à maintenant et il reste encore six mois !

— Oui, je sais, Jean-François me tient au courant. C'est vraiment super que vous ayez embarqué dans mon projet comme ça. Avec votre aide pis celle des autres écoles, on risque de pouvoir acheter un supermarché au complet à la fin de l'année !

— Bah, pourquoi pas deux ? ! blague Jean-François.

Michel sourit et leur fait signe de le suivre.

— Tout est prêt, dit-il. L'auditorium est rempli. Ne t'inquiète pas, les jeunes ici sont habitués à ce genre de présentations et sont très respectueux.

Ils marchent le long d'un grand corridor jusqu'à la salle qui, tout compte fait, est assez impressionnante. Il faut dire qu'il s'agit d'une école axée sur les arts, ce qui explique sans doute l'importance accordée à l'aire des spectacles. Juste avant d'y entrer, Thomas ne passe que la tête dans le cadre de la porte et observe le public en cachette.

— Laisse-moi y aller en premier, lui lance Michel en lui tapotant l'épaule. Je vais me charger de te présenter convenablement.

L'enseignant monte sur la scène et salue l'audience.

— Bonjour ! Mes chers amis, étudiants et confrères, laissez-moi vous souhaiter la bienvenue à cette conférence tout à fait spéciale. La vedette d'aujourd'hui est l'un des vôtres, un élève de première secondaire pas ordinaire qui, grâce à son imagination et à sa débrouillardise, a mis en marche un mouvement altruiste qui n'a pas fini de vous étonner et de vous inspirer. Fondateur principal des célèbres bravoures qui portent son nom et initiateur de la grande collecte pour les sans-abri, c'est avec un grand honneur que je vous présente… Thomas Hardy !

À la simple mention de son nom, soufflé par la voix amplifiée de Michel qui résonne contre les murs, un grand frisson traverse Thomas.

Porté par les applaudissements et les nombreux sifflements du public, il marche d'un pas déterminé vers son podium et, après s'être battu un peu avec le micro pour le mettre à sa taille (ce qui en fait rigoler plus d'un), il prononce enfin ses premiers mots:

— Euh... hum... bon, eh bien, c'est tout, merci!

Puis il fait semblant de partir, déclenchant un rire généralisé qui le rassure aussitôt. *Bon, la glace est brisée...*, pense-t-il alors en regagnant le devant de la scène.

NEUF

Les premières minutes de la conférence passent aussi rapidement que bat le cœur de Thomas. À quelques reprises, il a l'impression étrange d'être en train de rêver, que la situation est trop incroyable pour être vraie. L'adrénaline et la clarté extraordinaire de la salle sont sans doute à l'origine de cette sensation, mais il s'efforce de ne rien laisser paraître, ce qui l'amène à une expérience encore plus étrange : celle de se dédoubler, d'analyser intérieurement son expérience dans les moindres détails au moment même où il s'adresse au public. Bizarre, le cerveau !

Une fois que Thomas a raconté, à l'aide d'anecdotes savoureuses préalablement choisies, comment est née l'idée des bravoures, Michel annonce la période de questions. C'est ici que le vrai test commence quant à la capacité du garçon d'interagir avec l'auditoire et d'improviser. Beaucoup de mains se lèvent et l'enseignant s'occupe de choisir ceux qui prendront la parole. La première est une adolescente qui semble

tellement en admiration devant le jeune conférencier qu'elle bégaie dès le début de sa phrase:

— J… je… je voulais sa… sav… hu… hum…
savoir si t'avais une blonde!

Tout le monde se met à rire et, lorsque
Thomas répond par la négative, de bruyants
sifflements se font entendre. La jeune fille sautille
comme si elle venait de remporter un prix et se
rassoit tandis que Michel rappelle aussitôt les
jeunes à l'ordre:

— Bon, dit-il, je comprends qu'on n'a pas
affaire à un politicien ou à un homme d'affaires,
mais quand même, essayons de poser des questions plus pertinentes, d'accord?

Il choisit ensuite une autre personne dans la
salle, un jeune intello en chemise-cravate qui
contraste avec le reste des élèves. Son débit est
aussi rapide que celui d'un certain ami de Thomas.

— Moi, ma question c'est: est-ce que vous
filmez avec les mêmes caméras? Parce que j'ai
noté une différence dans certains plans au niveau
de la résolution et de la fréquence des images. Je
me demandais si c'était voulu et, si oui, pourquoi? Ah oui! Je voulais aussi savoir si votre page
Web a été codée en Java ou en JavaScript…

Décidément, William aurait eu sa place à ses
côtés, ou du moins aux côtés de son semblable à
discuter de programmation pendant que Thomas

se serait concentré sur des questions moins pointues.

— Euh…, fait ce dernier, on filme effectivement avec trois caméras différentes, dont une qui est un peu plus vieille que les deux autres. Pour le reste, euh… j'ai rien compris, désolé…

Avant même que le garçon puisse répéter sa question, sa voix est noyée par les rires des autres spectateurs et il choisit plutôt de se rasseoir. Il sourit tout de même, probablement habitué à se faire taquiner par ses pairs sur son côté techno. Une troisième élève est alors choisie et sa question est des plus réfléchies :

— T'as pas peur que toute l'attention que tu reçois vienne mettre l'accent sur toi au lieu de le mettre sur tes bonnes actions ? Genre, le monde se met à triper sur toi pis tes copains parce que c'est cool au lieu de vraiment aimer ce que vous faites ou la raison pour laquelle vous le faites ? Tu comprends ?

— Hum… On m'a déjà dit que ce sont mes actions qui définissent qui je suis, pas nécessairement tout ce qui se passe dans ma tête ou ce que les autres pensent. L'important, c'est qu'avec les bravoures pis la collecte, on fait le bien. Personne peut dire le contraire, personne peut nous enlever ça. Si on a le goût d'avoir l'air cool, si on a envie d'avoir du fun à faire ce qu'on fait, ben ça nous regarde. Comme ceux qui nous suivent : ils ont leurs raisons à eux, pis, nous, on peut rien y changer. On peut juste continuer à faire notre part pis espérer que les gens vont vouloir nous suivre. Genre.

Satisfaite, la demoiselle reprend sa place sur son siège. Thomas poursuit :

— En passant, on n'essaie pas vraiment d'avoir l'air cool, on est juste nous-mêmes. Une des choses que ma prof de français m'a dite quand les bravoures ont commencé à être populaires, c'est de toujours rester moi-même pis de pas essayer de plaire aux autres. C'est certain qu'on va écouter des suggestions ou des commentaires de temps à autre, mais en fin de compte, il s'agit de mes id… de NOS idées, nos projets. De toute façon, mon père m'a promis de me botter le derrière si je commence à trop faire ma vedette !

Le sourire de Thomas confirme qu'il exagère évidemment un tantinet. La question suivante est tout aussi intéressante :

— Salut. Moi, c'est Simon. Je me demandais si ça te dérangerait que du monde se mette à t'imiter, à faire comme toi.

— Dans quel sens ? lance Thomas.

— Ben, je sais pas, moi, organiser des événements comme les tiens, faire des genres de bravoures mais avec un nom différent. Est-ce que tu verrais ça comme de la compétition ?

Thomas réfléchit quelques instants.

— Je sais pas, je suppose que ça serait cool que les gens fassent de bonnes actions, peu importe comment ils s'y prennent. Je veux dire : ça serait un peu fou d'être frustré que d'autre monde veuille faire le bien, non ?

L'adolescent acquiesce.

— Pis comme je l'ai dit, je fais pas ça pour être un petit flocon de neige unique, je fais ça parce que ça rend plein de monde heureux.

Ce n'est pas faux, ni tout à fait vrai : Thomas ne peut pas nier que sa notoriété a un côté très agréable et que l'opinion que les gens ont de lui a une certaine importance à ses yeux. Après tout, il a beau comprendre et essayer d'assimiler tous les beaux dictons que lui citent les adultes de son entourage, il reste un garçon de douze ans qui commence à peine à se connaître. Comment réagirait-il si ses bravoures devenaient chose commune ? Qui sait ?

Après une série de questions plus ou moins pertinentes, un élève finit par lui demander :

— Est-ce que tu peux nous dire quelle va être ta prochaine bravoure ?

Thomas se met à rire.

— Si tu savais comme je l'entends souvent, celle-là ! C'est pas encore coulé dans le béton, mais j'en ai quand même discuté un peu avec mes partenaires. Pour vous donner une idée, ça va se passer dehors dans la neige, pis ça va être épique ! J'en dis pas plus !

Protestation amusée dans la salle. Lorsque Michel remarque des traces de fatigue dans l'intonation de Thomas et sur son visage, il met fin à la période de questions et prie le public de lui donner une bonne main d'applaudissements. Touché par l'enthousiasme sincère des étudiants, le jeune conférencier en profite pour les remercier de l'avoir écouté et de contribuer si généreusement à la collecte. Il balaie ensuite lentement l'auditoire du regard pour bien enregistrer ce succès triomphal dans sa tête. Surprise ! C'est alors qu'il aperçoit sa mère, visiblement émue, debout tout au fond de la salle avec la petite Jasmine. Force est d'admettre que cette vision lui fait très chaud au cœur malgré la fourberie de la dame. *C'est vrai que je retiens pas du voisin…*, pense-t-il en lui envoyant la main.

Après la conférence, Diane et Jean-François discutent quelques instants, puis celui-ci repart en compagnie de Michel. Les Hardy quittent ensuite l'école et se dirigent vers un restaurant pour célébrer l'événement.

— Tu m'as vraiment bien eu, déclare Thomas à sa mère dès qu'ils se retrouvent seuls.

— Pas trop fâché, j'espère ?

— Non, mais je vais devoir me méfier la prochaine fois. Te faire jurer, au moins.

Diane rit doucement.

— Ton discours était vraiment très éloquent. Ce matin, tu avais l'air d'un vrai petit paquet de nerfs et je me suis demandé si tu allais passer au travers. J'ai jonglé avec l'idée de venir te voir pendant un bon moment, un peu comme une mère dont le fils livre un combat de boxe : tu veux être là pour l'encourager, mais, en même temps, tu as tellement peur qu'il se blesse que tu deviens encore plus nerveuse que lui.

— Quoi ? T'avais peur que je me casse la gueule ? demande-t-il d'un air offusqué.

— Ben non ! Voyons… Tu comprendras quand tu seras parent…

— Ouin… Beau repli défensif, *mom*. Et puis, toi, Jasmine, t'en penses quoi de tout ça ?

La petite le regarde et hausse les épaules.

— Tu faisais juste parler.

— Ben, c'est ça, une conférence ! Tu aurais voulu que je danse peut-être ?

— Ouuuuui ! ! ! Comme à Noël !

Cette année, la soirée de Noël a été particulièrement endiablée et la plupart des invités se sont laissé entraîner par la musique. Thomas, à la demande de tous, a offert à sa famille un spectacle improvisé où il imitait le style de quelques artistes célèbres comme Justin Timberlake et Michael Jackson. Inutile de dire que l'admiration de Jasmine pour son frère a alors monté en flèche.

Au restaurant, une autre surprise attend Thomas : Xavier est assis à une table, le sourire aux lèvres.

— Mon homme ! s'exclame-t-il en voyant son fils. Il paraît que j'ai manqué toute une conférence !

— Oui, ç'a bien été en fin de compte !

— Ta mère m'a appelé au bureau pour me dire comment ça se passait, et elle était émue aux larmes ! Tu dois avoir faim maintenant que c'est derrière toi !

— Moi, mets-en ! Mais vous autres ? Il est de bonne heure en titi pour souper, non ?

— AFFAMÉS ! répond Xavier. C'était déjà prévu depuis ce matin, alors on n'a pas dîné.

— Prévu, hein ? Parce que, toi aussi, t'étais dans le coup ?

— Tu peux en être sûr ! Et si je n'avais pas eu un rendez-vous important, j'y serais allé, moi aussi. Mais bon, on fait pas tout le temps ce qu'on veut dans la vie.

— Je l'ai déjà entendue, celle-là…

— Eh bien, elle est encore vraie, que je sache! Bon, prenez vos menus et payez-vous la traite, c'est ma tournée!

Et c'est ainsi que la petite famille passe du bon temps à manger en jasant de tout et de rien. Bien qu'il s'amuse, Thomas ne peut s'empêcher de penser à ses amis et au fait qu'ils ne sont pas là pour partager ce moment avec lui. N'aimeraient-ils pas se retrouver eux aussi avec leurs familles respectives, voir dans les yeux de leurs parents la même fierté que celle qui brille dans le regard de son père et de sa mère? C'est décidé, qu'ils le veuillent ou non, la prochaine conférence se déroulera avec eux! En imaginant les scènes hilarantes que leur présence sur scène risque de créer, Thomas ne peut s'empêcher de rire tout seul.

— Qu'est-ce qu'il y a de si drôle? lui demande sa mère.

— Oh, rien.

Comme Diane paierait cher pour passer un moment dans la tête pleine d'imagination de son fils!

DIX

Trois garçons impatients sont assis à la table et attendent l'arrivée de leur ami conférencier. Lorsque Thomas vient enfin les rejoindre, il a tout juste le temps de s'asseoir que William appuie sur la gâchette.

— Hé! T'as même pas répondu à mon message, hier! Comment ça s'est passé, comment ça s'est passé, COMMENT ÇA S'EST PASSÉ???

— Crime, relaxe! répond Thomas en déposant son cabaret. J'avais presque pas dormi la veille, j'étais complètement claqué. Je suis même pas allé sur l'ordi pendant la soirée, alors j'ai pas vu ton message.

Ce qui est faux, car Thomas a bel et bien consulté sa boîte de courriels et pris le temps d'écrire à Annick pour lui raconter l'événement.

— AAAAAARGH!!! ON S'EN FOUT!!! PARLE!!!

William est si exagérément crispé que tout le monde autour se tord de rire: il s'est agrippé à la table de toutes ses forces, son visage est écarlate et les veines de son front semblent prêtes à exploser.

— Hahaha! Arrête si tu veux que je parle, je pourrai jamais me concentrer si tu continues à me regarder comme ça…

Le garçon se détend aussitôt et sa peau reprend une teinte normale.

— C'était vraiment cool, finit par dire Thomas. La sensation est indescriptible, je me sentais comme une star du rock… sans le rock… une star tout court en fin de compte.

— Est-ce que les gens ont posé beaucoup de questions? demande Ernesto.

— Pas mal, oui. Je dirais même que seulement le quart de ceux qui ont levé la main a eu la parole.

Karl lève la main.

— Haha! Pourquoi tu lèves la main?

— Oh, répond le jeune Langlois en constatant l'absurdité du geste. Je pense que c'est parce que tu viens d'en parler.

Ce qui fait bien rire ses amis.

— C'est un lapsus gestuel, ajoute-t-il à la surprise de tous.

— Wow, Karl! s'exclame Thomas. Un «lapsus gestuel»? Tu m'impressionnes!

— Bon, bon, moquez-vous si ça vous amuse, mais j'avais une vraie question.

— Vas-y!

— Est-ce que t'as fait des erreurs, genre, est-ce que t'as eu l'air fou par moments?

— Hum, je pense pas, non. Je me suis peut-être enfargé dans mes mots quelques fois ou j'ai peut-être hésité avant de répondre, mais, en général, c'était assez *smooth*. C'est la raison pour laquelle j'aimerais que vous soyez là, la prochaine fois. Maintenant que j'ai brisé la glace, je vois aucune raison pour que vous restiez ici pendant que je suis tout seul à donner une conférence. On est des associés, après tout!

En blague, William lève la main à son tour.

— Je t'en ai déjà parlé, dit-il. Ça me tente!

— Moi aussi, *amigo*, ajoute Ernesto en l'imitant.

Les trois se tournent vers Karl.

— Pis toi? demande Thomas.

Le garçon semble fondre sur place.

— Euh… ben…

Thomas se lève aussitôt.

— C'est réglé! Un pour tous…

— Tous pour un! répondent les trois autres malgré l'hésitation de Karl.

Pour faire changement, la bande a décidé de se rencontrer chez Ernesto après l'école. En fait, il n'y a que Thomas qui ait déjà mis les pieds dans son appartement et il est facile de comprendre pourquoi : même s'ils fréquentent tous le même collège privé, les moyens de la famille Ramirez sont définitivement plus modestes que ceux des trois autres familles, et cela provoque un certain malaise chez le jeune Mexicain. L'obésité de sa mère et le fait que, contrairement aux trois autres mamans, elle n'a pas d'emploi depuis la fermeture de l'usine où elle et son aîné travaillaient le mettent aussi mal à l'aise.

Quant à lui, Carlos, débrouillard et beau parleur, s'est rapidement trouvé un autre boulot comme vendeur de téléphones cellulaires et continue de contribuer au revenu familial. Il est d'ailleurs absent cet après-midi-là, au grand dam d'Ernesto qui ressent toujours une immense fierté à être en compagnie de son frère. Dès qu'il entre dans le logement, Karl est saisi par l'odeur appétissante de la cuisine mexicaine : Luisa Ramirez n'a pas atteint son poids impressionnant sans raison ! Inutile de dire qu'en voyant ses grosses joues rouges et ses yeux affamés, la dame fait automatiquement du lourdaud son favori.

— Entrez ! Entrez ! s'exclame-t-elle en avançant vers eux. *Dios mio !* Tous des beaux petits anges, ces garçons que tu amènes ici, mon chéri !

Elle serre son fils contre elle.

— Bonjour, Thomas ! Ça faisait longtemps que tu n'étais pas venu nous voir. Je le disais justement à Ernesto, hier : ça fait longtemps qu'il n'est pas venu nous voir, ton ami !

— Oui, je sais, mais… TA-DAM ! Je suis là !

— *Sí, sí !* répond-elle en lui pinçant une joue. Et ceux-là, je les reconnais de vos films.

William lui tend la main.

— Moi, c'est William, enchanté !

— Tu as l'air brillant, toi !

Il rougit.

— Euh… ben… pas pire…

La dame fait alors signe à Karl de venir jusqu'à elle.

— Oh, mais c'est qu'il est bien nourri, celui-là !

Les trois autres se regardent et sourient.

— Grand et fort ! poursuit-elle en lui tâtant les bras.

Les sourires se transforment en rires.

— Ne t'occupe pas d'eux ! dit-elle en le tirant vers la cuisine. Ils ne savent pas ce que c'est, un vrai homme !

Karl se laisse traîner, mal à l'aise, jusqu'à ce qu'elle lui fasse goûter son chili fraîchement cuisiné. Là, il n'est plus mal à l'aise du tout.

Un peu plus tard, Ernesto finit par réclamer ses amis à sa mère, et ils se rendent tous les quatre dans sa chambre pour discuter. La pièce, qu'il partage avec son grand frère, est petite et il est difficile de s'y déplacer, non pas parce qu'elle est en désordre, mais parce que les meubles occupent presque toute la place. William, qui est plutôt dédaigneux, inspecte minutieusement le couvre-lit de Carlos avant de s'y asseoir. Il y voit ce qui semble être une vieille tache de jus de raisin.

— Problème, *amigo*? demande Ernesto en percevant son hésitation.

— Oh, non! Je voulais juste… euh… Je regardais les motifs. Beau couvre-lit!

Thomas laisse échapper un petit rire de dérision et change vite de sujet :

— Bon! J'ai pas énormément de temps à cause des devoirs, alors on va faire ça vite. Comme je vous l'ai déjà dit, l'idée de base, pour l'instant, c'est de reproduire la scène de bataille dans *La Guerre des tuques*. Il y a juste Ernesto qui n'a pas encore regardé le film, c'est ça?

— *Sí*, mais William m'en a fait une copie, alors je vais le regarder ce soir.

— C'est bon. Donc, en gros, il s'agit de construire un immense fort pis d'opposer deux équipes.

— Juste comme ça, demande Karl, en quoi ça va être une bravoure au juste?

— Excellente question ! Je te dirais que tout dépend des candidats qu'on choisit pour l'activité. Des suggestions ?

— En tout cas, on s'entend que ça pourra pas être des petits vieux ! commente William. Dehors au froid, à construire un fort…

Thomas acquiesce.

— Effectivement. De toute façon, il faut innover !

— On pourrait demander à des sans-abri ! propose Karl, comme s'il ignorait la signification du mot « innover ». Ça va avec la thématique de la collecte, pis, en plus, ça leur fera même un abri quand tout sera fini !

Les expressions ébahies de ses trois copains en disent long sur son commentaire.

— Ben… jusqu'à temps que ça fonde, ajoute-t-il en voyant leur mine horrifiée.

Thomas pose sa main sur son épaule.

— C'est correct Karl, on t'aime quand même, tu sais…

Ernesto se lève, triomphant.

— Moi, j'ai une super-idée ! Tu m'as dit que ça serait préférable de construire le fort près de chez toi, n'est-ce pas ?

— Oui, c'est certain que ça serait moins pratique pour vous autres, mais il y a beaucoup de boisés où personne va, alors on aurait la paix.

— Ouin, ajoute William. Ça attirerait beaucoup trop de monde si on faisait ça à Montréal. On se le ferait probablement démolir avant d'avoir pu faire notre film…

— Exact. Alors, c'est quoi, ton idée, Ernesto?

— Tu te rappelles quand on marchait près de ton ancienne école? Tu m'as raconté une anecdote sur les élèves d'une classe de troubles de comportement, ceux qui se battaient et que tu avais calmés en les invitant à jouer avec ta bande pendant la récré.

— Oui…

— Eh bien, pourquoi ne pas aller chercher des volontaires parmi ceux qui sont dans ces classes spécialisées? Ils habitent forcément dans ton coin et ils feraient des candidats idéaux, non?

— Wow, c'est pas bête. Pas bête du tout, même! Ils ont souvent un trop-plein d'énergie, des problèmes d'estime d'eux-mêmes aussi…

— Une pierre, deux coups! s'exclame Ernesto.

— Vous en pensez quoi, les gars? demande Thomas en se retournant vers les deux autres.

Karl hausse les épaules et William ne semble pas convaincu.

— Hum… ils sont souvent agressifs, ces enfants-là, non?

— Will, franchement, tu vas pas te laisser intimider par des petits jeunes du primaire?

— Ben, premièrement je te ferai remarquer qu'on n'est pas super vieux nous non plus, pis disons que je suis pas convaincu que ça va être évident, de donner des directives à des élèves en difficulté d'apprentissage…

Thomas réfléchit quelques instants.

— Bon point, je te l'accorde. Mais est-ce qu'on peut vraiment parler de bravoure si tout ce qu'on fait est facile? Faut relever des défis pour que ça soit spécial, non?

— Ouin, je vois ce que tu veux dire…

— Pis ce sont pas des monstres! Je suis certain qu'ils vont être tellement fiers de participer à un projet comme ça qu'ils vont nous obéir au doigt et à l'œil!

— Au doigt et à l'œil? répète Karl.

— Ben, c'est pas ça qu'ils disent, les propriétaires de chiens?

Ernesto se met à rigoler.

— Quoi? s'étonne Thomas.

— *Amigo,* est-ce que tu viens de comparer des enfants du primaire à des chiens?

— Ben non, c'est pas du tout ce que je voulais dire!

Puis tous s'esclaffent pendant une bonne minute.

La première chose que Thomas fait en arrivant chez lui est de vérifier si Annick lui a répondu.

Négatif. Il soupire, se frotte le visage vigoureusement et regarde vers le ciel : *S'il vous plaît, faites qu'elle m'ait pas déjà oublié !* Il ouvre le tiroir de sa commode qui est réservé à ses trésors et en ressort le médaillon qu'elle lui a offert à l'Halloween et dont la chaîne s'est brisée. *Il faut peut-être que je le répare pour qu'elle se rappelle que j'existe…*, pense-t-il en faisant miroiter le bijou dans la lumière. Il part ensuite fouiller dans le garage à la recherche d'un morceau de ficelle quelconque et opte finalement pour un fil de pêche. Moins chic qu'une chaîne en argent, c'est vrai, mais ça devrait suffire !

Après s'être regardé sous tous les angles dans le miroir, Thomas rejoint sa mère dans la cuisine.

— *Mom*, pourrais-tu appeler à l'école demain matin pour dire que je serai là juste l'après-midi ?

— Qu'est-ce qui se passe ? Tu te sens malade ?

— Non, pas du tout, il faut que j'aille à l'école de Jasmine. Je dois demander à une prof si je peux choisir des candidats parmi ses élèves pour ma prochaine bravoure.

— Et tu ne peux pas faire ça après l'école ?

— Pas vraiment. On finit une demi-heure plus tard, pis avec le trafic…

— Tu pourrais l'appeler et lui demander de t'attendre, non ? Ça risque de l'intéresser, ton projet !

— Ben, j'en profiterais aussi pour choisir mes candidats sur place. Il faut qu'ils soient là, je peux pas prendre n'importe qui.

— J'aime pas vraiment ça, que tu manques l'école. Je trouve que ça commence à prendre pas mal de place, tes bravoures…

— *Mom*, allez! Mes deux premières périodes, c'est avec Jean-François pis madame Marquette, je suis absolument certain qu'ils seraient d'accord. Après ça, j'ai de l'anglais, pis… Ben, je mourrai pas de manquer une période d'anglais! De toute façon, j'apprends beaucoup plus en organisant mes bravoures que dans n'importe quel cours!

Diane essaie tant bien que mal de trouver un bon argument, mais force est d'admettre que son fils a un point.

— En plus, ajoute-t-il, j'ai quand même de bonnes notes dans presque toutes les matières. Si je coulais ou que j'étais en difficulté, OK, mais comme c'est là…

— Bon, c'est correct, j'appellerai pour cette fois-ci.

— Yé!

— Mais à une condition…

— N'importe quoi!

— Va chercher Jasmine chez son amie Marie-Ève. Il fait noir et je ne veux pas qu'elle marche toute seule.

— À vos ordres, chef!

Il dépose une bise sur la joue de sa mère et part en vitesse.

ONZE

Le soleil couchant peint le ciel de teintes orange, mauves et roses; la brise est chaude et transporte avec elle toute la richesse des odeurs d'été. Thomas et Annick sont assis dans une grande roue qui est ou n'est pas celle de La Ronde, sur une île qui est ou n'est pas l'île Sainte-Hélène. Tandis qu'ils arrivent au point le plus haut, leur siège s'arrête et se balance doucement dans le vide.

— Regarde comme les gens sont petits d'ici, remarque la jeune fille.

— Oui, on dirait des fourmis.

Bien que la vue soit impressionnante, Thomas n'arrive pas à quitter son amie des yeux : elle est plus belle que jamais et une aura de mystère l'entoure.

— J'aimerais qu'on reste pris ici pour toujours, dit-elle en se retournant vers lui.

Ses yeux brillent d'une étrange lumière.

— Moi aussi, lui répond-il en prenant sa main dans la sienne.

Est-ce d'une quelconque importance que les vêtements d'Annick aient changé trois fois depuis que le couple est dans le manège? Thomas poursuit:

— Il y a tellement de choses que j'aurais aimé te dire avant que tu partes…

— Je sais.

— Ah oui?

— Bien sûr, répond-elle en appuyant sa tête contre son épaule. Je connais toutes tes pensées.

— Vraiment? Alors, dis-moi à quoi je pense maintenant?

Elle lève la tête et le fixe d'un regard complice, puis rapproche doucement son visage du sien. Thomas n'ose pas fermer les yeux, voulant cette fois profiter de chaque fraction de seconde de ce baiser tant attendu. Alors que leurs lèvres sont presque pressées les unes contre les autres, il sent une main lui secouer légèrement l'épaule.

— C'est l'heure, Thomas, murmure une voix familière.

Lorsqu'il se retourne, il voit Diane assise juste à côté de lui.

— Pas maintenant! proteste-t-il. De toute façon, qu'est-ce que tu fais ici? Un peu d'intimité quand même!

Déterminé à obtenir son baiser, Thomas s'efforce d'oublier la présence de sa mère et regarde de nouveau en direction d'Annick. Celle-ci a

maintenant le dos tourné et observe silencieu-
sement le paysage.

— Thomas, répète Diane. C'est l'heure de se lever.

— Hein, quoi?

— Tu allais passer tout droit. Ne pense pas que je vais te laisser faire la grasse matinée simplement parce que tu ne vas pas à tes cours ce matin. Allez, hop!

— Arrrrrgh, je te déteste! Tu viens de gâcher mon plus beau rêve à vie!

— Ha! Je ne veux même pas savoir c'était quoi! Je te donne une minute pour reprendre tes sens et ensuite tu te lèves. Une minute!

Thomas grogne et marmonne quelques mots incompréhensibles, puis se tourne sur le dos. Il tente en fermant les yeux de retrouver la magie de son rêve, mais celui-ci s'évapore comme une fine neige sous un soleil brûlant.

— Bah! Tant pis! maugrée-t-il avant de se lever.

En marchant vers son ancienne école, Thomas est soudainement pris de nostalgie: c'est comme s'il s'agissait d'une matinée typique vécue un an auparavant et, pendant un instant, il s'attend presque à revoir tous ses anciens camarades. *Le temps passe tellement vite,* pense-t-il alors.

Qu'est-ce que ça sera dans cinq ans, ou dans dix? Il ne s'est pas écoulé une année complète, et sa vision du monde a énormément changé; qu'en sera-t-il lorsque plus aucun Hardy ne fréquentera ces lieux et que ses précieux souvenirs d'enfance se volatiliseront comme le font ses rêves nocturnes?

— Tu penses à quoi? lui demande Jasmine, toute fière que son grand frère l'accompagne comme il le faisait jadis.

— Oh, à rien qui pourrait t'intéresser. Pas maintenant, en tout cas.

— Quand alors?

— Quand tu seras assez grande pour penser à autre chose que tes poupées.

— Hé! Je joue presque plus avec!

Chose que Thomas a effectivement remarquée et qu'il trouve plutôt curieuse: il se rappelle avoir quant à lui conservé de l'intérêt pour ses figurines jusqu'à la cinquième année au moins, voire plus tard.

— Fais attention de pas grandir trop vite, toi! la prévient-il. Dès que tu vas enterrer tes poupées pour de bon, elles reviendront plus jamais.

Jasmine le dévisage.

— Yark! Pourquoi j'enterrerais mes poupées?

— C'est une façon de parler, lui répond-il en roulant les yeux. Je voulais dire que dès que t'arrêteras de jouer avec, t'en auras probablement plus jamais envie.

La petite hausse les épaules et se met à sautiller. Oui, le temps passe définitivement très vite : voilà que c'est lui qui doit expliquer ses drôles d'expressions à une âme innocente.

Après avoir accompagné sa sœur à sa classe, Thomas se rend au bureau de la directrice pour lui parler de son projet. La jeune femme, début trentaine, est en tous points l'opposée de monsieur Sigouin : elle est vraiment jolie, très dynamique, elle adore son travail et surtout les enfants (même les tannants).

— Bonjour, madame Julie !

— Thomas ? s'exclame-t-elle, plutôt surprise de voir son ancien élève, surtout à cette heure. Qu'est-ce que tu fais ici ?

— Ben, je suis venu vous demander quelque chose. Je sais pas si vous êtes au courant pour mes bravoures, mais…

— *Les bravoures de Thomas Hardy* ? Évidemment que je suis au courant ! C'est en lisant le journal que j'en ai entendu parler la première fois. Je savais que tu étais un enfant plein de potentiel, mais là… Tu nous fais vraiment honneur, tu sais !

— Euh… merci !

— D'ailleurs, ce serait super si tu pouvais venir parler avec les plus vieux qui s'en vont au secondaire l'an prochain. Il y a beaucoup d'anxiété et d'appréhension dans l'air et je pense que ça les rassurerait beaucoup de voir que ça peut aussi être une expérience formidable.

— Euh… oui, d'accord… Mais j'ai une proposition encore plus cool pour l'instant.

— Ah bon, je t'écoute.

Il lui décrit alors les grandes lignes de sa prochaine bravoure, en insistant sur le fait que l'activité aidera les enfants à canaliser leur énergie tout en leur insufflant à la fois un sentiment d'accomplissement et une bonne dose de confiance en eux. Voyant la directrice sourire et acquiescer constamment, Thomas prend davantage confiance en son idée.

— Hum, lui répond-elle. C'est un super beau projet, mais comme c'est en dehors des heures d'école, ce n'est pas vraiment à moi de prendre cette décision, ni à madame Caroline.

— Oui, j'y avais pensé. En fait, je voulais simplement passer par la direction pour faire la demande aux parents, parce que j'aimerais que vous envoyiez une lettre pour moi. Avec votre recommandation, ça risque de mieux passer. Ça va se faire quand même près d'ici, pis on est une gang sympathique, je suis certain que tout va bien aller.

— Une lettre, hein ? Je peux bien faire ça.

— Yé ! Merci beaucoup ! J'aimerais quand même avoir mes volontaires aujourd'hui, si c'est possible. Ma mère m'a donné une permission spéciale pour être ici ce matin mais… ça risque pas de se reproduire de sitôt.

— D'accord, on va aller voir madame Caroline ensemble et lui demander si elle veut bien suspendre son activité le temps que tu es ici. Ça te va ?

— Ça me va !

Il y a toujours beaucoup d'action dans la classe de madame Caroline et aujourd'hui ne fait pas exception. Le niveau de bruit est élevé, mais étant donné le caractère spécial de ses élèves, le niveau de tolérance des enseignants des classes avoisinantes est proportionnel. Comme c'est pratiquement le cas chaque jour, un enfant est assis en punition à l'extérieur du local, son attention papillonnant entre ce qui se passe dans le cours et ce qui se passe dans le corridor.

— Qu'est-ce que tu fais là ? demande la directrice au garçon. La période vient juste de commencer !

— J'ai mal écouté, répond-il sans quitter Thomas des yeux.

Madame Julie soupire.

— Tu as mal parlé aussi, je suppose ?

Tandis qu'il acquiesce, elle roule les yeux et secoue la tête.

— Continue à réfléchir à ton comportement, ne fais que ça. Toujours, sans arrêt. Compris?

La jeune femme fait un clin d'œil à Thomas et cogne doucement contre la vitre. L'éducatrice ouvre la porte et fait un effort pour sourire.

— Bonjour, Julie. Qu'est-ce que je peux faire pour toi?

— Dure nuit? demande la directrice en percevant son humeur réelle.

— Horrible! La petite a une otite, elle a pleuré toute la nuit. J'ai presque pas fermé l'œil!

— Ouf, je connais ça! Tiens bon! Écoute, je ne sais pas si le moment est bien choisi, mais j'ai un jeune ici qui aimerait te proposer quelque chose. As-tu deux petites minutes à lui accorder? Je peux surveiller ta classe en attendant.

— Oui, tout pour sortir d'ici! blague l'éducatrice.

Alors que madame Julie entre dans la classe, Thomas tend la main à madame Caroline:

— Moi, c'est Thomas.

— Oui, ton visage me dit quelque chose. Tu es un ancien élève, c'est ça?

— Oui, je suis en secondaire un.

— Qu'est-ce que je peux faire pour toi, mon beau Thomas?

Les deux minutes ne se sont même pas écoulées qu'elle présente le garçon à sa classe. Comme une majorité de ses éleves sont curieux, les bouches habituellement volubiles restent fermées, créant un rare et précieux calme qui redonne le sourire à madame Caroline. Sa classe est composée de dix garçons et de trois filles, âgés de neuf à onze ans, dont deux se souviennent d'avoir vu Thomas l'année précédente. Inutile de dire que lorsque ce dernier leur explique son projet et demande des volontaires, ce sont douze mains qui se lèvent en même temps (la treizième s'agitant frénétiquement derrière la porte), dans une grande et bruyante excitation.

— Parfait ! s'exclame Thomas avec un sourire triomphant. Je vous prends tous !

Les yeux de l'éducatrice s'ouvrent grand. Après avoir calmé ses élèves à l'aide de sa nouvelle arme de persuasion, soit la menace de ne pas participer à la bravoure, madame Caroline accompagne Thomas jusqu'à la porte.

— Vraiment ? Est-ce que tu sais dans quoi tu t'embarques ?

— Hum, non.

Ils se mettent tous les deux à rire.

— Mais je suis certain que ça va bien aller, poursuit-il. On va être quatre à superviser, ça fait environ trois têtes chacun. De toute façon, plus on est nombreux pour construire le fort, plus ça va aller vite et plus il va pouvoir être gros.

— C'est sûr que ça aide.

— Oui, pour le tournage aussi. Ça serait difficile de recréer *La Guerre des tuques* avec cinq enfants…

— C'est bien beau tout ça, mais comme madame Julie te l'a expliqué, ce sont les parents qui vont décider. Personnellement, je trouve que c'est une idée géniale, mais… en tout cas, j'aime mieux ne rien dire avant de recevoir les réponses.

— Oui, je sais, dit Thomas en soupirant. Je commence à être habitué aux délais…

Petit sourire complice.

— Si ça peut rassurer les parents, ajoute-t-il, on a un téléphone cellulaire en cas d'urgence. Et puis, si jamais il y en a qui veulent passer de temps à autre pour voir comment ça se passe, ils sont les bienvenus.

— En effet, ça va les rassurer. Eh bien, ça m'a fait plaisir de te rencontrer, Thomas. Je te souhaite bonne chance! Si jamais tu as besoin de quoi que ce soit, n'hésite surtout pas!

— Merci beaucoup!

Il se retourne vers les élèves.

— Salut, tout le monde!

— SAAAALUUUT, THOMAAAAS! s'exclament-ils tous ensemble.

Projet vendu.

DOUZE

La période du dîner vient tout juste de commencer lorsque Thomas met les pieds dans la cafétéria. Il aurait pu rester à la maison plus longtemps, mais il avait davantage envie de retrouver ses amis que d'être seul à ne rien faire.

— Hé, un revenant! s'exclame William en le voyant. Pis, as-tu trouvé des candidats?

— Oui, toute la classe!

— Quoi?

Les trois garçons se lancent des regards surpris qui amusent énormément Thomas.

— Je sais pas encore lesquels vont pouvoir, mais il y en a treize en tout.

— Treize? demande Ernesto. Espérons que ça ne portera pas malchance!

— T'es fou, mec! ajoute William en se grattant la tête. Treize…

— Écoutez, les gars. Techniquement, on va être dehors à jouer dans la neige, c'est pas la fin du monde!

— On fait pas juste jouer, il faut construire un immense fort pis faire un film. C'est pas rien, ça…

— Arrête d'être pesshimisshte, mon Will ! T'aurais dû voir leurs faces quand je leur ai parlé du projet. Ils avaient l'air tellement contents qu'ils vont tout faire pour nous plaire. En plus, je leur ai dit que, dès qu'ils se mettraient à faire les imbéciles, ils seraient expulsés du film.

— Et comment ils sont, *amigo* ? demande Ernesto, plus par curiosité que par véritable intérêt.

— Bof, c'est une petite bande de tannants, c'est clair, mais la plupart ont l'air sympa. Ils aiment peut-être pas beaucoup l'école, mais ils vont sûrement adorer participer à notre activité !

— Quand est-ce que tu vas avoir les réponses ?

— Au courant de la semaine prochaine, probablement. D'ici là, on pourrait faire une dernière séance de défis basketball, qu'est-ce que vous en pensez ?

— Moi, je veux ! répond Karl sans hésiter. Moi, je veux !

— C'est cool, lâche William sans enthousiasme.

— Hé ! Un peu de pep ! La collecte va super bien, non ? Pis je te rappelle que c'est grâce à des choses comme ça qu'on garde les gens intéressés.

Le jeune intello replace ses lunettes.

— Ouin, c'est vrai. Attends de voir le montant auquel on est rendus, je vais mettre le compteur à jour sur le site demain!

— Tu vois! *Good job*, les gars, tout roule comme sur des roulettes!

Sur ce, les quatre mousquetaires se tapent dans la main.

Le matin suivant, Thomas fait une longue promenade dans le nord de son quartier en compagnie d'Ernesto. Leur but: dénicher l'endroit idéal pour construire le fort. Étant donné qu'il n'y a pas encore beaucoup de neige au sol, les deux amis se déplacent facilement hors des sentiers entretenus de l'immense boisé, se fiant à une carte satellite Google pour trouver une clairière assez grande à leur goût. Comme ils ne veulent pas recréer la bataille de *La Guerre des tuques* plan par plan, ils ont décidé de s'inspirer aussi de films aux combats épiques plus modernes comme *Troie* ou *Le Seigneur des anneaux*. Thomas et William ont d'ailleurs déjà en tête quelques idées de scènes dans lesquelles ils pourront rendre hommage à leurs films favoris.

— Hum, je pense que ça y est! dit Thomas en scrutant l'horizon. Assez cachée pour qu'on ait la paix, assez grande pour nous permettre de faire de beaux plans éloignés.

— Tu parles en vrai réalisateur, *amigo*!

— Haha! Le métier rentre! Sérieux, la bute là-bas est vraiment parfaite, ça va donner l'impression que notre fort est plus haut.

— Tu crois vraiment que les gens ne le découvriront pas?

— Hum, tant qu'il est pas visible des sentiers, je pense qu'on peut prendre le risque. De toute façon, est-ce qu'on a vraiment le choix? C'est pas mal tout ce qu'il y a à distance de marche de chez nous pis de nos p'tits travailleurs de la construction.

— C'est vraiment beau en tout cas. Tu es déjà venu ici pendant l'été?

— Non, c'est fou, hein?

— Gardons l'endroit en mémoire alors, ça fera un super terrain de jeu.

— On se creusera un lac artificiel pour les journées chaudes!

— *Ay, caramba!* Fais attention à ce que tu dis, toi. Tu es assez cinglé pour que je te prenne au sérieux!

— Vois-tu ça, ramasser un millier de volontaires pis le faire pour de vrai?

Ernesto regarde son ami d'un air menaçant.

— OK, OK! J'ai rien dit…

Les deux explorateurs se rendent au beau milieu de la clairière et se laissent tomber dans la neige.

— C'est vraiment cool, ce qui se passe avec Karl, dit Thomas en regardant le ciel.

— Je sais, il prend vraiment confiance en lui ces derniers temps.

— Il était tellement fier hier soir quand il a réussi le panier de l'autre bout du terrain de basket. Grâce à lui, on a encore un don de plus.

— Ça ne te dérange pas, qu'il te vole la vedette? Le basketball, c'est ta spécialité après tout.

— Non, je m'en fous. De toute façon, dans les deux cas où c'est lui qui a réussi, il fallait plus de force que j'en ai.

Il contracte ses maigres biceps et soupire.

— Ça devra attendre encore un peu, je suppose.

Ernesto pose sa main sur son épaule.

— On est dans la même situation, tu sais. Nos deux grands frères sont très athlétiques, surtout Carlos, et parfois j'ai l'impression d'avoir été gâté que pour la matière grise.

— Bah, il est trop tôt pour savoir à quel point on va grandir. Tu viens à peine d'avoir treize ans, pis moi c'est dans trois mois. Tu savais que le prof d'éducation physique était comme nous à notre âge?

— Monsieur Beaudry?

— Yep!

— Mais c'est une vraie armoire à glace, ce gars-là!

— Exact.

— Wow… eh bien, tu me rassures!

— De toute façon, on pogne avec les filles, non?

— Ça, c'est bien vrai! En parlant de filles, des nouvelles d'Annick?

Thomas soupire de nouveau.

— Nooooon… Je sais pas ce qui se passe avec elle. Je devrais peut-être l'appeler, mais encore là, si elle me répond pas, c'est probablement parce qu'elle a pas envie de me parler.

— Hum, étrange…

— Tu l'as dit!

— Pourtant, on sait qu'elle t'apprécie beaucoup.

— Tu sais ça, toi?

— Ha! Seulement un imbécile penserait le contraire, franchement…

— Ouin, ben si elle m'apprécie, elle le montre pas tellement ces temps-ci.

— Peut-être qu'elle t'aime trop.

Thomas se retourne vers son ami et le dévisage.

— C'est quoi, le rapport?

— C'est difficile à expliquer, mais… peut-être que c'est plus facile pour elle de t'oublier que de penser à toi…

— Esprit, que t'es bizarre ! D'habitude, t'as beaucoup de bon sens, mais là…

Thomas se relève d'un bond et donne un petit coup de pied sur la botte d'Ernesto.

— Allez, on rentre, pis je te paye un bon chocolat chaud ! Ça te dit ?

— Par « payer », tu veux dire « prendre dans le garde-manger », c'est ça ?

— T'as tout compris ! Le premier arrivé a le double de guimauves !

— Waouh !

Les deux complices se mettent alors à courir, prenant soin de se pousser mutuellement dans la neige à intervalles réguliers. Ah, les joies de l'hiver ! Ernesto passe le reste de la journée à la maison, et Thomas profite de la grosse tempête du lendemain pour se mettre à jour dans ses devoirs et travailler sur le scénario du film.

Comme c'est à Jasmine que la directrice doit donner la liste des enfants qui vont participer à la bravoure, Thomas se porte quotidiennement volontaire pour aller la chercher au service de garde, espérant qu'elle a avec elle la précieuse missive. Ce n'est que le jeudi après-midi qu'il reçoit enfin sa confirmation, mais le délai en valait la chandelle : les treize jeunes de la classe de madame Caroline ont reçu l'approbation de leurs parents, tant pour la construction du fort en dehors des jours d'école que pour la diffusion subséquente du film sur Internet. Le lieu de tournage ayant déjà été choisi (en plus d'avoir été couvert d'une généreuse bordée de neige depuis leur dernière visite), la bande est donc prête à démarrer le projet dès la fin de semaine qui suit.

Le vendredi midi, lorsque William dévoile enfin les plans qu'il a dessinés, ses amis sont paradoxalement aussi enthousiastes que décourages : inspiré en partie de celui du film qu'ils comptent imiter, le fort est encore plus imposant qu'ils ne se l'étaient imaginé et nécessitera certainement plus d'une fin de semaine de travail.

— Oui, mais pensez-y, les gars, se défend l'architecte, on va être dix-sept en tout, peut-être plus si jamais les parents qui viennent faire un tour mettent la main à la pâte. Si on s'organise comme il faut, pis qu'on répartit les tâches, je suis certain que ça va aller plus vite que vous pensez ! Pour l'instant, la neige est super collante, ça va être solide comme du béton !

— C'est vrai que ça aide, dit Thomas. Au moins mère Nature s'est rangée de notre côté. C'est quoi, la météo pour les deux prochaines semaines ? Est-ce que t'as regardé ?

— Du temps assez doux, répond aussitôt William, mais généralement en dessous du point de congélation, donc pas de pluie. C'est sûr que ça peut changer, mais…

— Mais on peut rien y faire d'une manière ou d'une autre…

— En effet.

— Et demain ?

— Beau soleil, moins deux degrés.

Ernesto lève les deux pouces :

— Moi, ça me va, *amigo*. Tant qu'on ne se les gèle pas, je vais faire mon bon petit Mexicain et travailler comme un déchaîné.

— Moi, j'ai jamais froid, ajoute Karl, alors tant qu'il y a en masse de bouffe pour reprendre mes forces, je suis votre homme.

Thomas semble satisfait :

— De toute façon, s'il y a un problème, rien nous oblige à suivre les plans à la lettre. On verra bien ce que nos p'tits ouvriers ont dans le ventre. Alors, on s'enligne pour neuf heures chez moi demain ?

Ses trois copains acquiescent.

Le soir venu, Thomas consulte la liste des participants et communique avec les parents pour leur donner l'heure et le lieu du rendez-vous. Il compose ensuite un long courriel pour

Annick, mais, en se relisant, il trouve ses propos un peu trop intenses et décide de tout effacer (déjà vu!). Le garçon retourne plutôt sur sa chaîne YouTube pour regarder la vidéo de la kermesse, où l'on voit à quelques reprises la jolie demoiselle. Quand la caméra cadre parfaitement le visage de cette dernière, il appuie sur «pause», figeant son sourire à son apogée. Il reste alors un bon moment à fixer l'écran, comme hypnotisé, le cœur lourd mais bien vivant.

TREIZE

Ayant fini par se mettre en tête qu'il doit traiter la construction du fort comme un jeu plutôt que comme une grande entreprise, Thomas réussit à dormir comme un bébé. *On se rend là-bas en gang, on fait du mieux qu'on peut, pis, surtout, on s'amuse!* s'est-il dit devant le miroir avant d'aller au lit. Dans son esprit, cette première journée permettra d'abord de vérifier si le projet est réalisable, et plus particulièrement de voir si les jeunes sont capables d'écouter les directives et d'y obéir. Par ailleurs, le fait que le film soit un peu plus scénarisé, par rapport aux précédents, l'inquiète considérablement. C'est son père qui lui a fait réaliser que ses soucis, en augmentant son stress et son impatience, nuiraient à l'expérience et la rendraient désagréable. «Aucune raison de vivre ça à ton âge, lui a-t-il dit en remarquant sa fébrilité. Il n'y a pas de millions investis dans ton projet, et personne ne te pousse dans le dos. Fais-le pour toi, pour ta cause, mais fais-le surtout dans le plaisir et la joie.» Que dire devant pareille sagesse?!

À neuf heures et des poussières, nos quatre braves quittent la demeure des Hardy et se dirigent vers le boisé. Ils disposent d'une quinzaine de minutes pour se préparer mentalement avant l'arrivée des participants: le rôle de moniteur est nouveau et peut-être un peu précoce pour ces garçons de douze et treize ans qui, à l'exception de Thomas, n'ont pas pu s'entraîner avec des frères ou des sœurs plus jeunes. Au moins, quelques parents qui habitent tout près ont dit qu'ils viendraient jeter un coup d'œil de temps à autre: une sortie de secours rassurante en cas de désobéissance civile.

L'assurance chancelante des organisateurs est tout de même mise à l'épreuve dès l'arrivée des premiers petits ouvriers. Énergiques, excités et bruyants, ces derniers sont prêts soit à travailler fort, soit à leur rendre la vie dure. En fait, c'est surtout l'expression de soulagement qu'ont leurs parents en quittant les lieux qui vient sonner l'alarme dans l'esprit des garçons.

— Voulez-vous me dire dans quoi on s'est embarqués? demande William d'une voix à peine audible sous un vent hivernal plus mordant que prévu.

— Ça va bien aller, répond Thomas sans trop de conviction. Ça va bien aller…

Lorsque la troupe est complète, Thomas prend une grande inspiration, bombe le torse et demande le silence. Étonnamment, il l'obtient assez rapidement.

— Bonjour, les amis. Je vous souhaite la bienvenue dans le monde fabuleux des bravoures ! Comme vous le savez déjà, mon nom à moi, c'est Thomas Hardy, « *el comandante* ». « *Comandante* », c'est le mot espagnol pour « commandant », dans le sens qu'ici mes ordres sont la loi ! Je vous présente vos trois autres supérieurs : Ernesto « le *bandito* » Ramirez, William « poké »… euh… hum… « le parrain » ?

Il regarde William qui acquiesce vivement.

— C'est bien ça : William « le parrain » Lévesque. Et, finalement, « l'ogre d'Ahuntsic » en personne, Karl Langlois ! Je vous préviens, faites bien attention à Karl : il est très fort et très dangereux quand on l'écoute pas !

— Euh… quoi ? lui chuchote Karl d'un air surpris.

— C'est pour l'effet, répond le jeune Hardy en cachant sa bouche, fais-toi-z'en pas avec ça.

Il ordonne ensuite aux treize enfants de former un rang et se promène autour d'eux pour les inspecter.

— Les règles sont simples, poursuit-il. Vous devez nous écouter en tout temps! Pas de «si», pas de «mais», TOUT LE TEMPS! Est-ce que je me fais bien comprendre?

— OUIIIII!!! répondent les gamins à l'unisson.

— Parfait!

Il adresse un clin d'œil à ses amis.

— Si vous travaillez fort et que vous écoutez bien, si vous restez avec nous jusqu'à ce que le projet soit terminé, je vous garantis qu'on va faire de vous des célébrités! Est-ce que vous savez combien de personnes ont vu notre première bravoure sur YouTube?

— NOOOOONNNN!!!

— Six cent mille! SIX CENT MILLE! Ça fait pas mal de personnes, ça. Est-ce que j'ai raison ou bien j'ai raison?

— T'AS RAISON!!!

— METS-EN QUE J'AI RAISON!

Thomas s'arrête devant les trois filles.

— Pis, vous, mesdemoiselles, allez-vous prouver aux gars que vous êtes capables de travailler aussi fort qu'eux, et que vous êtes pas juste bonnes pour placoter comme vous le faites depuis tantôt?

Elles se regardent mutuellement, un peu médusées.

— Euh… oui, répond l'une d'entre elles.

Le *comandante* se tient bien droit et prend un air encore plus sérieux (si une telle chose est possible).

— Est-ce que vous voulez devenir des stars ou pas? s'écrie-t-il.

— OUIIIIII!!!

— J'aime mieux ça!

Puis, réalisant que d'incarner un commandant trop longtemps risque de lui gober toute son énergie, il se détend un peu.

— Êtes-vous prêts à avoir du plaisir?

Encore un oui retentissant.

— Excellent! C'est parti, mon kiki!

Thomas prend la tête du groupe en compagnie d'Ernesto, alors que William et Karl se placent au bout de la file. Le petit bataillon, armé de pelles de toutes les tailles, se dirige donc vers la clairière pour entamer la construction du fort. Le soleil brille, le vent semble vouloir se calmer, les cœurs sont joyeux… Un scénario idéal, non?

Bof. Après deux heures de travail, les jeunes semblent déjà lassés tandis que le fort n'est pour l'instant qu'un périmètre surélevé d'à peine trois pieds.

— Un peu de vision, quand même! lance vivement William à un garçon qui vient de remettre ses plans en doute. C'est juste la muraille ! Quand elle va être finie, on va s'attaquer au bâtiment principal. Il va même y avoir des tourelles !

— En tout cas, ça va être moins gros que je pensais ! maugrée Jesse, le plus turbulent du groupe. J'ai vu le film à *Ciné-cadeau* pendant les vacances, pis leur fort était pas mal mieux que ça.

— Ah oui ? Ben, imagine-toi qu'on n'a pas une équipe de techniciens pour le monter à notre place, nous ! Tu crois vraiment que ce sont les enfants du film qui l'ont construit eux-mêmes ?

En réalisant que c'est tout comme s'il venait de nier l'existence du père Noël devant un enfant de quatre ans, William adopte un ton plus doux :

— Inquiète-toi pas, tu vas voir, quand tout va être fini, ça va être vraiment cool. En plus, mon père m'a montré plein de trucs pour le faire paraître plus gros avec les angles de caméra.

Karl place un dernier bloc de neige sur le muret.

— J'ai faim, dit-il. On prend la pause du dîner ?

— Oui, répond Thomas. Je pense que ça va faire du bien à tout le monde.

Il constate que l'une des filles, contrairement aux deux autres, travaille avec acharnement.

— Hé, Annabelle !

Lorsqu'elle se retourne, il lui lance une barre de chocolat qui atterrit à ses genoux.

— Bon boulot! la complimente-t-il. Continue comme ça!

Il n'en faut pas plus pour que les yeux de la fillette s'illuminent et qu'elle redouble d'effort. Il n'en faut pas davantage non plus pour que les autres enfants crient à l'injustice.

— Pourquoi elle en reçoit une pis pas nous? se plaint Michael, le plus jeune de la bande. Nous aussi, on travaille fort!

Conscient de son faux pas, Thomas patine:

— Euh… c'est parce que… c'est parce qu'elle… Bah! Je vous en apporterai chacun une demain si vous me donnez encore deux bonnes heures après le dîner.

— Promis?

— Promis.

À la demande de Karl, tous les travailleurs prennent alors une pause et sortent leurs goûters refroidis de leurs sacs à dos. William prend son téléphone et filme la scène d'une main en continuant de manger, tandis que Thomas en profite pour poser des questions aux enfants et en apprendre un peu plus sur eux.

— Alors, dites-moi donc, est-ce que vous l'aimez, la classe de madame Caroline?

La plupart des élèves haussent les épaules et poursuivent leur repas.

— Moi, je la trouve cool, dit Annabelle. Elle est pas comme les autres professeurs.

— Ah non?

— Non. Les autres professeurs seraient pas capables de nous endurer.

Ernesto se met à rire.

— Vous êtes si tannants que ça? demande Thomas.

La petite fille regarde ses camarades de classe, puis acquiesce.

— Ça paraît pas trop! commente Ernesto, à moitié sincère.

William manque s'étouffer avec sa bouchée.

— Moi, je me suis fait expulser de mon autre école! se vante Jesse.

— T'avais fait quoi?

— J'ai mis des pétards dans la toilette, pis elle a cassé. Il y a eu une inondation à cause de moi!

— Ouin, pas fort... Pis vous vous sentez comment d'être dans une classe spéciale? Est-ce que ça vous dérange, d'être un peu à part?

Maxime, un garçon dont le visage d'ange ne laisse en rien deviner un quelconque trouble de comportement, lève la main.

— Karl, regarde! blague William en montrant le gamin du doigt. Un lapsus gestuel!

Mais l'ogre d'Ahuntsic est trop absorbé par son repas pour réagir.

— Qu'est-ce que tu voulais dire? demande Thomas à Maxime.

— J'aime ça, moi, être dans la classe de madame Caroline.

— Ah oui? Pourquoi?

— Parce qu'on est moins, pis que, pour une fois, il y a pas juste moi qui dérange tout le monde…

— Héhé… bon point.

Thomas aimerait gratter davantage le fond des problèmes que peuvent avoir les enfants, mais, réalisant que le sujet est un peu rabat-joie, il se met plutôt à leur poser des questions sur leurs films et leurs jeux vidéo favoris. Tout le monde participe avec entrain à la conversation qui suit, à commencer évidemment par William qui y prend un énorme plaisir.

Maintenant que la glace est brisée et que tous se connaissent un peu mieux, l'ambiance est bien meilleure. Le père d'Annabelle (sa mère est décédée un an auparavant) est aussi venu faire son tour en skis de fond, et ses mots d'encouragement ont motivé la troupe. Durant les trois heures qui suivent, les blagues et les rires fusent de partout, sans pour autant nuire à la construction. Lorsque la muraille atteint un mètre cinquante, soit assez pour dissimuler le groupe en entier, les jeunes ouvriers arrivent mieux à visualiser le résultat final, et leur enthousiasme décuple.

— Moi, je vais venir habiter dedans ! dit l'un d'eux.

— Non, moi ! proteste un autre.

— On viendra se cacher ici quand on se fera chicaner ! propose Jesse.

Ernesto, qui se marre bien à les regarder aller, intervient aussitôt :

— Waouh ! On se calme, *muchachos* ! Pas question de venir faire des fugues ici, hein ? On ne veut pas être responsables de votre disparition, ni voir votre photo dans le journal !

— Est-ce qu'on va quand même pouvoir venir jouer ici les autres jours ? demande Maxime.

— J'aimerais mieux pas, répond Thomas. Pas avant que le film soit fait en tout cas. Pis révélez pas l'emplacement du fort à personne, OK ? Dans le fond, essayez de pas parler du projet à qui que ce soit, il faut que ça reste un secret.

— Pourquoi ? l'interroge Maxime.

— Parce qu'on veut pas que notre fort se fasse démolir pendant qu'on n'est pas là, explique William. Il faut que tout reste intact jusqu'au moment de tourner.

— Pis c'est quand, qu'on va tourner ?

— On vise dimanche prochain.

— Demain ?

— Est-ce que le fort a l'air terminé selon toi ? lance William avec un brin d'impatience.

Thomas, qui rigole malgré lui, fait signe à son ami d'être un peu plus délicat.

— Non, corrige aussitôt William, pas demain. Il reste encore deux autres bonnes journées de travail avant de penser à filmer quoi que ce soit. On va peut-être même venir pendant la semaine pour finir le plus vite possible.

— Je veux être là, moi aussi ! s'écrie Jesse, suivi par tous les autres.

— On vous aura assez vus comme ça, bande de tannants ! répond Thomas en souriant.

Sur ce, le groupe se rassemble et marche en direction du stationnement, où quelques parents attendent déjà leurs enfants. Lorsque tout le monde est parti, les quatre amis, épuisés, se dirigent vers la maison de Thomas, se remémorant en chemin les moments cocasses de la journée et échangeant un tas de nouvelles idées pour le film. Tout compte fait, leur première journée de travail est un succès, et tous les espoirs sont maintenant permis.

QUATORZE

Malheureusement, la seconde journée de travail débute avec quelques embûches : Ernesto se sent grippé et préfère rester chez lui, tandis que Karl doit aller prêter main-forte au restaurant familial pour remplacer un plongeur qui est malade. De plus, un des garçons et les deux copines d'Annabelle ne se sont pas montré le bout du nez ce matin, portant le nombre total de travailleurs à douze. Au moins, William s'est présenté chez Thomas avec une volonté à toute épreuve qui a grandement inspiré ce dernier. Il faut dire qu'il a si hâte de commencer le tournage qu'il en rêve la nuit.

— Ça va rouler, tu vas voir ! promet-il à son ami. On restera jusqu'à ce qu'il fasse noir si c'est nécessaire !

Malgré le nombre réduit de bras et de pelles, la bande entreprend le travail de construction dans la bonne humeur. Parfois, alors qu'il prend une pause et observe les jeunes en pleine action, Thomas n'en revient tout simplement pas de voir autant de cœur à l'ouvrage : comment ces enfants peuvent-ils avoir un comportement assez problématique pour être séparés des classes ordinaires ?

Ici, dans un contexte tout autre que celui de l'école, ils lui semblent tous plutôt disciplinés. Il a d'ailleurs laissé rapidement tomber son rôle de commandant sévère en constatant qu'il avait obtenu, tout comme ses amis, leur respect inconditionnel. Ce que Thomas ignore, c'est que, pour certains d'entre eux, la menace de l'ogre d'Ahuntsic a fait son petit bout de chemin : le silence de Karl ainsi que sa concentration au travail ont naturellement renforcé l'image de la bête qui dort et qu'on ne veut pas réveiller. Et, malgré son absence aujourd'hui, l'impression persiste.

Le groupe réduit s'avère finalement être une bonne chose : les conversations coulent encore mieux que la veille et rendent le travail plus agréable. Les jeunes sont particulièrement fascinés par les connaissances de William en matière de mondes fantastiques et de super-héros. Ses histoires les intéressent tellement qu'ils l'interrompent souvent pour lui poser des questions aussi pointues les unes que les autres. La plupart des enfants de cet âge pouvant parler de façon obsessive des choses qu'ils adorent, ceux-ci se révèlent être des interlocuteurs hors du commun pour le plus geek du groupe.

Heureux de voir enfin son ami bénéficier de toute l'attention qu'il mérite, Thomas ne voit aucun inconvénient à le laisser parler sans arrêt. Bien au contraire, en divertissant ainsi les ouvriers, William lui permet de s'évader constamment dans sa tête et lui évite toute intervention. À un moment donné, alors qu'il l'observe en train de raconter les prouesses du personnage de son jeu vidéo préféré, Thomas réalise combien le degré de maturité de sa bande est relatif. En effet, bien qu'ils se sentent encore comme des enfants parmi les adolescents du collège Archambault, ce sont eux qui deviennent grands et expérimentés en compagnie des jeunes du primaire. Une confiance en eux accrue accompagne leur sentiment de responsabilité, et leur attitude change du tout au tout.

Alors qu'il rêvasse, Thomas s'imagine travaillant avec ses amis comme moniteur dans un camp de vacances : une situation qui pourrait être si épique qu'il fait aussitôt le vœu de la voir se produire un jour.

— Hé! s'exclame-t-il lorsqu'une boule de neige l'atteint au ventre et interrompt ses rêveries.

Il voit alors William, l'air espiègle, donnant le signal aux ouvriers d'attaquer.

— Vous allez me le payer! promet Thomas en allant se réfugier derrière la muraille.

Annabelle, qui vient de déserter le groupe d'assaillants, le rejoint en vitesse.

— Inquiète-toi pas, dit-elle, je suis de ton bord!

Elle lui remet la moitié des quatre boules qu'elle s'est confectionnées, et tous deux préparent leur contre-attaque.

Suit une bataille de boules neige spontanée qui donne un bel avant-goût de celle qui aura lieu pour le tournage du film. Après quelques minutes, les soldats baissent les armes et prennent une pause repas bien méritée. Bien que le fort soit loin d'être terminé, la structure commence à prendre forme et le résultat est encourageant. Entre deux bouchées de son sandwich, Annabelle se lève et vient s'asseoir tout près de Thomas, sa nouvelle idole.

— Est-ce que Véro et Annie vont être quand même dans le film même si elles sont pas là aujourd'hui? lui demande-t-elle.

— Hum, oui. Si elles reviennent, en tout cas. On a besoin de tout le monde, sinon ça fera pas une bataille trop impressionnante.

— Oh…, répond Annabelle d'un air visiblement déçu.

— Mais c'est certain que ceux qui viennent chaque fois et qui travaillent fort vont être plus souvent à l'écran.

Les yeux de la petite fille s'illuminent.

— Pour vrai?

— C'est clair!

— Genre moi?

— Genre toi!

Le sourire d'Annabelle est si grand que ses dents prennent froid.

Vers quinze heures, alors qu'il commence déjà à faire sombre sous les nuages épais, le groupe quitte le chantier et chacun s'en retourne chez lui. Selon William, pour terminer le fort, il faudra que les quatre amis y travaillent un ou deux soirs cette semaine après l'école, équipés évidemment de lampes frontales, en plus de la journée de samedi. Si les conditions climatiques le permettent, le tournage pourra donc se faire dimanche comme prévu.

Complètement exténué, Thomas s'écrase sur son lit dès son arrivée à la maison et s'endort d'un sommeil profond. Lorsqu'il ouvre les yeux, il fait complètement noir et cela ajoute à son sentiment de désorientation. Un coup d'œil au cadran lui apprend qu'il a dormi presque une heure, et la sublime odeur des aliments qui sont en train de cuire lui donne l'eau à la bouche. Quel simple bonheur, la perspective d'un bon repas après une longue et intense activité physique!

— Et puis, mon grand, demande Diane dès qu'il entre dans la cuisine. Est-ce que le fort avance à ton goût?

— Oui, on devrait terminer à la date prévue.

— Raconte-moi donc un peu comment ça se passe avec les jeunes.

— Ça va bien. La plupart du temps, ils nous écoutent, alors j'ai pas à me plaindre.

— Ah bon? s'étonne Xavier. Tu pourrais peut-être donner des trucs à leur enseignante! Jasmine m'a dit que leur classe est juste à côté de la sienne et qu'elle les entend crier même quand la porte est fermée.

— Bah, l'école, c'est l'école, on peut pas comparer l'apprentissage du français ou des mathématiques avec le fait de jouer dans la neige. En plus, ils ont une belle récompense qui les attend.

— Une récompense pas mal plus concrète pour eux que leur futur, n'est-ce pas?

— Yep!

Diane pose sa main sur celle de son fils.

— En tout cas, dit-elle, j'ai bien hâte de voir le résultat final! Si j'avais su que ça t'inspirerait autant, je t'aurais fait regarder *La Guerre des tuques* bien avant!

— Le moment était parfait, *mom*. Chaque chose en son temps, comme vous dites.

Les deux parents échangent des regards fiers.

— Est-ce que je pourrais jouer dans ton film? lance Jasmine.

— Pour faire quoi?

— Ben, la petite sœur de quelqu'un!

— On verra… Peut-être s'il nous manque quelqu'un ou s'il nous faut plus de monde.

— Mais il faut que je le sache à l'avance pour apprendre mon texte!

— Il y aura pas vraiment de dialogues, ça deviendrait trop compliqué, pis ça donnerait sûrement un mauvais résultat. Il faut des vrais acteurs pour rendre les histoires crédibles, sinon les spectateurs embarquent pas. Nous, on n'est pas rendus là encore.

— Ça va être quoi alors, ton film?

— On rend juste hommage à la scène finale. Tu te rappelles la grande bataille de boules de neige? On va utiliser la musique du film et mettre notre touche personnelle pour le reste.

— Comme quoi? demande Xavier.

— On a déjà quelques idées pour les scènes, mais on risque d'improviser un peu la journée même. Les enfants doivent se construire des armures pis des armes avec des choses qu'ils trouvent à la maison ou qui viennent du magasin à un dollar. On veut le même genre de look tout croche que dans le film, ça fait plus réaliste. Je sais pas trop ce que ça va donner en fin de compte, mais, avec le montage pis la musique, je suis certain que ça va être bon.

— *I'll drink to that!* s'exclame son père avant de prendre une gorgée de bière.

Après le souper, Thomas retourne dans sa chambre et ouvre son portable pour consulter les pages relatives aux bravoures et vérifier ses messages. Les nombres indiqués par les compteurs de vues de ses vidéos précédentes continuent d'augmenter de plusieurs centaines chaque jour, assez pour qualifier ces dernières de *virales*, ce qui constitue un exploit considérable étant donné leur contenu. Bien souvent, les vidéos les plus populaires sont des publicités déguisées, du mignon à l'extrême, des humiliations publiques ou de l'humour absurde. De plus, elles dépassent rarement une ou deux minutes.

La pression qu'impose à Thomas le désir de surpasser (ou du moins d'égaler) ses prouesses précédentes est grande, sans toutefois être désagréable. En fait, il s'agit davantage d'excitation que d'anxiété, puisque ses amis et lui sont convaincus que leur prochaine vidéo séduira le public. Le côté rétro plaira sans doute aux nostalgiques des années quatre-vingt, tandis que l'âge des participants et les clins d'œil aux films plus modernes rejoindront les nouvelles générations. Du moins, c'est le plan.

Quant au site officiel de la collecte, son compteur révèle que les dons directs atteignent presque six mille dollars, ce qui exclut l'argent recueilli par les trois autres écoles. Il y a certainement de quoi être fier! Pour Thomas, n'importe quel nombre à quatre chiffres aurait fait l'affaire, mais voilà que, d'ici la fin de l'année, il pourrait même y en avoir cinq! Juste à imaginer la quantité de nourriture achetée avec un tel montant, un sourire immense se dessine sur son visage. Bien sûr, ils pourraient simplement remettre le don en argent à Dans la rue, mais cela serait-il aussi sensationnel?

Vient ensuite le temps, après son survol des « activités d'entreprise », de passer aux choses plus personnelles. La « Lotto Annick », baptisée ainsi par Ernesto en le voyant croiser les doigts chaque fois qu'il ouvre sa boîte de courriels ou sa page Facebook, est un moment précieux dans l'horaire de Thomas. En effet, lorsqu'il a passé une journée entière à l'extérieur et qu'arrive le moment de vérifier si sa belle amie lui a enfin donné signe de vie, son sentiment d'anticipation rappelle celui que l'on éprouve en grattant un billet de loterie ou en écoutant l'annonceur lire la séquence de chiffres qui composent le numéro gagnant. Et, comme ce bref et délicieux instant d'attente est tout ce qu'il obtient d'Annick depuis quelque temps, il n'est pas surprenant que Thomas l'ait gardé pour la fin.

Lorsqu'il voit la petite icône rouge en haut de sa page personnelle, son cœur se met à battre à toute allure. Il prend une grande inspiration, formule son souhait dans sa tête, puis clique dessus. BINGO!!! En troisième position, derrière Olivier et une parfaite inconnue, se trouve le nom le plus sublime de la terre: Annick Tremblay! Il s'empresse d'ouvrir le message, et sa première lecture est si rapide qu'il lui faut reprendre du début pour finalement bien saisir le contenu.

Salut beau mec! Je suis désolée de ne pas t'avoir écrit plus tôt, mais j'ai une super bonne explication, OK? Alors, lis bien comme il faut parce que ça m'a pris pas mal de temps pour trouver mes mots…

Premièrement, je veux tout de suite te rassurer: je pense à toi tous les jours! Tous… les… jours… *comprendes*? (Tu salueras Ernesto de ma part!)

Honnêtement, c'est pas facile de m'adapter à ma nouvelle vie (ou me réadapter à mon ancienne, je sais plus trop laquelle est laquelle). Comme tu sais, je suis vraiment comblée par la réconciliation de mes parents. De leur côté, ça va super bien, ils sont tout mignons ensemble et j'échangerais ça pour rien au monde. Saaauuuf queeeee… je m'ennuie énormément de toi, de mes amis et du collège.

Tellement, en fait, que j'ai comme eu besoin de me couper de tout pendant un moment parce que j'avais l'impression de me déchirer en deux. T'en fais pas, t'es pas le seul à qui j'ai pas donné de nouvelles. Il a fallu que Julie m'appelle pour réussir à me joindre parce que j'avais arrêté d'aller sur Facebook.

Mais bon, là ça va mieux, alors j'ai pensé que c'était le bon moment pour t'écrire. Il y a une autre raison aussi pour laquelle je suis de bonne humeur, mais c'est encore trop tôt pour en parler…

Alors c'est ça, j'espère que ça va toujours bien de ton côté. Peut-être qu'on pourrait bientôt se jaser au téléphone si ça te tente, un soir cette semaine peut-être ? Ça ferait quelque chose à attendre, il me semble…

Je t'adore, mon Thomas, et j'ai comme trop hâte de te voir !

xoxoxoxoxoxoxoxooxoxoxooxox

Dimanche, 22 janvier 2012, six heures quarante-huit. Un YYYYYYYÉÉÉÉÉÉÉÉ! retentissant se fait entendre dans la demeure paisible des Hardy. Des terroristes, sans aucun doute.

QUINZE

Pour la deuxième fin d'après-midi de suite, les quatre mousquetaires empilent des blocs de neige pour faire avancer la construction du fort. Malgré la noirceur, ils travaillent comme des forcenés, leurs lampes frontales projetant de puissants faisceaux lumineux.

— C'est une invention formidable ! s'exclame Ernesto en bougeant la tête dans tous les sens. Il m'en faut une !

— Je te la donne, répond aussitôt William.

— Arrête, ça doit valoir une fortune !

— Pas du tout, c'est une trentaine de dollars à peu près. En plus, celles-là nous ont rien coûté, c'est des objets promotionnels pour la compagnie où travaille mon père.

— Pour vrai ?

— Oui, regarde le logo. Ils ont choisi ça parce que les techniciens les utilisent quand ils réparent des ordinateurs ou qu'ils font des branchements derrière les bureaux. On en a cinq ou six à la maison.

Ernesto serre la main de son ami.

— C'est très gentil, *amigo*. Tu remercieras aussi Denis de ma part.

— Pas de trouble !

Thomas sourit, toujours heureux de voir à quel point ses deux copains s'entendent dorénavant à merveille. Heureux aussi de voir les plans de William se matérialiser : le fort, bien qu'il n'atteigne pas les proportions de celui du film, est tout de même le plus gros qu'il ait jamais eu la patience et la motivation de construire. Comme quoi, quand c'est pour une bonne cause…

— Coudonc, Karl, as-tu mangé une caisse d'épinards avant de venir ? demande William en le regardant soulever un immense bloc de neige glacée.

Le jeune Langlois, encouragé par le compliment, gravit la bute en forçant jusqu'à en être étourdi et, lorsqu'il laisse tomber le bloc à l'endroit voulu, il émet un cri retentissant. William lui tape dans le dos.

— Ils auraient dû te choisir pour jouer Hulk dans le film.

— Haha, je dirais pas non ! Vous savez que j'ai perdu cinq livres depuis les fêtes ? répond Karl. C'est pas pire, hein ?

— T'en avais gagné combien *pendant* les fêtes ?

Il rit doucement.

— Cinq.

Les trois autres rigolent à leur tour.

— Mais vous allez voir, ajoute Karl. Je sais pas pourquoi, mais je me sens plus motivé qu'avant à perdre du poids. J'ai peut-être toujours envie de manger, mais, au moins, je vais m'entraîner pour que ça se transforme pas en gras.

— Tu devrais construire un énorme fort dans ta cour, lui suggère Thomas, le démolir pis le reconstruire encore et encore jusqu'au printemps.

— En tout cas, j'aime ça, transporter des choses lourdes!

— Alors, vas-y FORT, mon homme! s'écrie William. La pognes-tu?

Il reçoit pour toute réponse une boule de neige dans le dos.

— Ça, c'est pour le jeu de mots! lance Thomas.

— Pfft! Hé, en passant, est-ce que vous trouvez que ça serait cool de faire un petit *teaser* de notre film avec les images que j'ai filmées tantôt?

— Un *teaser*?

— Oui, c'est un genre de minibande-annonce qui sert à donner un avant-goût aux gens. Comme celle des *Avengers* qui vient d'être mise en ligne. C'est juste assez pour faire capoter le monde sans trop en montrer. Je sais pas, j'ai comme trop hâte de faire un montage, ça m'aiderait à patienter!

— Euh…, répond Thomas, j'ai pas de problème avec ça. Même que c'est une excellente idée, mon Will!

Une réponse qui plaît visiblement à ce dernier, si l'on se fie à ses deux bras tendus vers le ciel.

Quand arrive l'heure du souper, les garçons retournent à la maison de Thomas où Carlos les attend, puisque son frère l'a appelé un nombre incalculable de fois pour le supplier de venir les chercher, William, Karl et lui, afin de les ramener à Montréal.

— Carlos! s'exclame Thomas. *Qué pasa?*

— *Nada nuevo.* Content de te voir, p'tit fou!

Le jeune homme lui serre la nuque avec affection et salue les deux autres. *Quel grand frère incroyable!* pense Thomas en observant comment Carlos se comporte avec Ernesto. Il donnerait beaucoup pour que le sien soit aussi complice (et serviable)!

Le samedi suivant, soit la dernière journée de construction avant le tournage, Thomas et sa bande attendent l'arrivée des enfants dans le stationnement du boisé. L'ambiance est particulièrement joyeuse: la classe de madame Caroline est cette fois-ci complète et tout le monde semble s'être levé du bon pied.

— Êtes-vous prêts à voir où on en est rendus avec le fort? demande Thomas.

— Ouuuuuuuui!!!

— Êtes-vous prêts à le terminer pis à le montrer à la terre entière?

— Ouuuuuuuui!!!

— Alors, *vamos*! lance Ernesto.

En chemin, les jeunes se mettent à chanter des comptines d'hiver entamées par Maxime. Y a-t-il déjà eu un groupe aussi enthousiaste de se rendre au boulot? Peut-être, mais il n'y a jamais eu un groupe aussi horrifié par ce qui l'attend dans la clairière: son superbe fort, qui a nécessité une quinzaine d'heures de travail, a été démoli.

— QUOI??? tonne Thomas, figé devant la scène.

— Non, non, non, non, non, non, NON!!! s'écrie William en se tenant la tête à deux mains.

— Qu'est-ce qui s'est passé? demande Annabelle.

Mais personne ne lui répond. Tout le monde reste planté là, bouche bée, espérant que ce ne soit qu'un rêve.

Toujours en silence, les jeunes parcourent les ruines glacées du fort comme au lendemain d'une guerre, leurs visages pétrifiés baissés vers le sol tandis qu'ils évaluent l'ampleur des dégâts.

— C'est une perte totale! finit par déclarer William. Totale!

En effet, sauf pour environ trente centimètres de fondation, la structure a été réduite en plusieurs tas de blocs qui ont fusionné à la suite du bref dégel de la veille. Le reste n'est qu'un amas sans forme qui, si l'on en juge par la quantité phénoménale de traces de bottes, a servi de trampoline à une bande d'imbéciles.

— Ça peut pas être des gens qui ont fait ça, hein? demande Karl, avec son âme trop innocente pour imaginer une telle chose.

Sans dire un mot, Ernesto pointe l'index vers quelques formes jaunâtres cristallisées dans la neige et regarde en direction de Thomas. Ce dernier semble fou de rage et au bord des larmes.

— Les écœurants! s'indigne William en envoyant de la neige pour couvrir les traces d'urine. C'est vraiment dégueulasse!

Lorsqu'il réalise que tous les yeux sont maintenant rivés sur lui, *el comandante* s'éloigne du groupe et se laisse tomber dans la neige, non sans laisser échapper un cri retentissant de frustration. Tandis que Karl et William s'apprêtent à le rejoindre, Ernesto leur bloque le chemin.

— Vaut mieux le laisser seul un moment, leur dit-il.

Les petits ouvriers, qui jusqu'à présent sont restés sans voix, se mettent à bombarder leurs chefs de questions. Tous sauf un, en fait : Jesse, le plus âgé d'entre eux, dont le regard trahit une certaine culpabilité que cependant personne ne voit. Quelques minutes plus tard, Thomas revient vers le groupe et déclare d'une voix parfaitement neutre :

— Moi, je m'en vais chez nous, vous faites ce que vous voulez…

C'est donc ainsi qu'il quitte la clairière, la tête basse et le visage de marbre, suivi de près par le reste de la bande. Lorsqu'il arrive au stationnement, William appelle les parents des jeunes pour les avertir que le programme a changé, tandis que ceux qui habitent tout près partent aussitôt à pied. Concluant qu'il vaut mieux laisser retomber la poussière avant de penser à un quelconque plan B, Ernesto emprunte le téléphone de son ami et demande à son père de venir les chercher. Thomas, lui, ne s'est pas retourné une seule fois en prenant la direction de sa maison.

Dès qu'il entre dans le vestibule, Diane l'accueille avec l'inévitable interrogatoire maternel, empreint d'un mélange de curiosité et d'inquiétude.

— Qu'est-ce qui se passe, mon grand ? As-tu oublié quelque chose ? Pas besoin d'enlever tes bottes, je peux te l'amener…

— J'ai rien oublié, c'est beau.

— Ça ne va pas ? Où sont tes copains ?

— Aucune idée.

— Comment ça, « aucune idée » ? Vous vous êtes chicanés ou quoi ?

— Non.

— Thomas, arrête-toi à l'instant !

Si une telle chose existait, le garçon appuierait sur le bouton « muet » de la télécommande parentale et monterait directement à sa chambre, mais, malgré son humeur massacrante qui exige la solitude, il doit répondre à sa mère, car son ton lui indique que la porte de sortie a été scellée et que toute tentative de fuite est par conséquent futile.

— Quoi ? Qu'est-ce que tu veux savoir ? lui demande-t-il en se retournant. Tu veux savoir pourquoi je suis ici au lieu d'être en train de terminer le fort pour le tournage de demain, c'est ça ? Eh bien, il y en a plus, de fort ! Fini, bye-bye, *kapout* !

— Qu'est-ce que tu veux dire ?

— Je veux dire que le monde est laid et rempli de débiles qui ont rien d'autre à faire que de pourrir l'existence des autres !

— Votre fort a été démoli ?

— Oui, pis il s'est fait pisser dessus en plus ! C'est drôle, hein ? Tellement drôle !

La mâchoire de Diane s'affaisse.

— Mon Dieu! Je ne sais pas quoi te dire, mon amour. C'est horrible. Viens ici…

Les yeux rougis et mouillés, Thomas s'avance vers sa mère et se laisse cajoler, un tantinet récalcitrant. Au bout d'un moment, il se défait doucement de son étreinte et essuie ses yeux avec orgueil.

— Bon, je peux être tranquille maintenant?

Diane se contente de lui faire un sourire plein d'empathie et acquiesce. Thomas monte ensuite à sa chambre, ignorant au passage sa sœur qui l'interroge à son tour. Pour le reste de la journée, le garçon ressemble à un fantôme, tellement sa lumière est éteinte: il sort à peine de son antre et, lorsqu'il le fait, il longe les corridors l'air moribond, ses pas ne produisant pratiquement aucun son.

Dans la soirée, Thomas rappelle enfin Ernesto qui lui a téléphoné au cours de l'après-midi. Son deuil à moitié fait, colère et déception trouvent enfin les mots pour s'exprimer.

— Tu penses que c'est un hasard ou que quelqu'un dans le groupe s'est ouvert la trappe? demande Ernesto après avoir laissé son ami reprendre son souffle.

— Je sais pas. C'est peut-être le maudit *teaser* que William a mis en ligne, quelqu'un qui a déjà vu la clairière a dû la reconnaître.

— Tu crois?

— Bah! De toute façon, qu'est-ce que ça change? J'ai pas l'intention de blâmer Will, on trouvait tous que l'idée était bonne. Et puis, on saura probablement jamais si c'est vraiment la cause, alors...

— Juste comme ça, as-tu regardé dans les commentaires sur la page de la vidéo? Peut-être que celui ou ceux qui ont détruit notre fort ont revendiqué le crime?

— Oui, c'est une des premières choses que j'ai faites. Il y a rien.

— Ah. Et qu'est-ce qu'on fait avec tout ça, *amigo*? On repart à zéro?

— T'es malade?! s'exclame Thomas. Pis risquer que ça se reproduise encore? Pfft!

— On pourrait changer d'endroit, suggère Ernesto.

— Même là... Personnellement, j'ai pas envie de prendre le risque. J'ai d'autres choses à faire que de perdre mon temps à travailler pour rien. Oublie ça!

— *Sí*, tu as peut-être raison, vaut mieux trouver autre chose de moins risqué.

— Bah! Pour l'instant, j'ai même pas le goût de penser aux bravoures!

— Tu ne vas pas te laisser abattre, quand même! Si tu baisses les bras, ceux qui nous ont fait ça gagnent.

— Gagnent quoi ? Je savais pas qu'on était en guerre…

— Nous sommes en guerre contre les forces du mal, *amigo*, tous les jours ! Tu es *el comandante*, et tes soldats ont besoin de toi !

Force est d'admettre que le jeune Mexicain a le don de réveiller les passions : malgré son découragement, Thomas ne peut empêcher ses poils de se hérisser sur ses bras.

— En tout cas, pour l'instant, *el comandante* a juste envie de dormir pis de rêver à Annick toute la nuit.

— Alors, fais de beaux rêves, mais surtout garde espoir. Si Thomas Hardy tombe, nous tombons tous avec lui.

— Ouin… À plus, mec.

— *Adiós, muchacho !*

— Hé !

— *Qué ?*

— Merci d'être toi, mec.

Sourire au bout du fil.

— *De nada…*

SEIZE

6 février. Le premier jour de classe se déroule comme si rien ne s'était produit. Les quatre amis mentionnent à peine l'événement et tous s'entendent pour mettre de côté les bravoures le temps de faire pleinement le deuil du dernier projet. D'ailleurs, lorsque madame Marquette lui parle d'une autre conférence, Thomas refuse aussitôt en prétextant une fatigue générale. Dans les faits, comment pourrait-il transmettre un quelconque enthousiasme pour ses entreprises lorsque le simple fait d'y penser fait remonter en lui colère et déception ? Non, le temps est plutôt venu de redevenir un élève ordinaire, un élève qui ne cesse de penser à la perspective de revoir la fille de ses rêves : durant leur conversation téléphonique du jeudi précédent, Annick lui a dit qu'elle devrait bientôt venir à Montréal en compagnie de sa mère pour magasiner, une activité à laquelle il serait bien sûr invité. Des bonheurs tout simples quoi, pour faire changement…

Jean-François, plus emballé que jamais par l'engouement que suscite la collecte, tente à quelques reprises d'aborder le sujet avec Thomas. Chaque fois, pourtant, ce dernier se contente d'écouter poliment et feint l'enthousiasme, une attitude qui contraste grandement avec son énergie habituelle et qui ne manque pas d'inquiéter le jeune enseignant.

— Ça ne te fait pas plus plaisir que ça? demande-t-il à Thomas à propos du don important qu'a fait une de ses connaissances, une personnalité connue au Québec.

— Oui, c'est cool, très cool.

— Tu le dis, mais ton visage trahit ton indifférence, mon homme.

— Ah bon?

— Tu es certain que ça va?

— Comme sur des roulettes, répond Thomas en levant les sourcils.

— Tu ne m'as toujours pas parlé du tournage d'hier. Ça me surprend un peu étant donné que tu avais tellement hâte à ce jour-là.

Le garçon se retourne vers son écran.

— Il n'y a pas eu de tournage en fin de compte.

— Ah bon? Pourquoi ça?

— Problèmes techniques.

Voyant bien que son élève n'a plus le goût de parler, Jean-François n'insiste pas et retourne s'asseoir à son bureau. Il observe Thomas un moment, puis hausse les épaules : *Mauvaise journée, sans doute !*

Pour la bande, le reste de la semaine s'écoule avec le même détachement par rapport aux bravoures. Les quatre copains parlent de sujets plus appropriés à leur âge et ce sont en quelque sorte des vacances pour leurs jeunes cerveaux, eux qui tournent sans relâche depuis quelques mois autour de la grande collecte. Il s'agit d'ailleurs d'un pli qu'ils pourraient prendre de manière permanente s'ils se laissaient aller, la légèreté ayant ses avantages. Et pourtant, ils sont loin de se douter qu'un événement fortuit est sur le point de faire renaître leur emballement, un événement qu'aucun d'entre eux n'aurait pu prévoir malgré une imagination débordante.

Samedi 11 février, neuf heures du matin. La voix grave de Xavier vient sortir Thomas de son étrange rêve, lui demandant de se dépêcher de descendre dans le vestibule pour accueillir des visiteurs pour le moins inhabituels. Le garçon, encore à moitié dans les limbes, s'empresse néanmoins d'enfiler des vêtements présentables et déboule l'escalier pour satisfaire sa curiosité. À sa grande surprise, Jesse se tient debout dans l'entrée à côté d'un homme qui semble être son père. Il affiche un air timide tandis que l'homme, une main posée fermement sur sa petite épaule, paraît grandement embarrassé.

— Salut, Thomas, dit ce dernier en s'efforçant de se contenir. Mon nom, c'est Jean-Yves, pis je suis le père de Jesse. Mon gars a quelque chose d'important à te dire.

Il secoue légèrement l'épaule de son fils.

— Euh… ben…, bredouille Jesse en fixant le plancher.

— Regarde-le droit dans les yeux, ordonne son père d'une voix calme mais autoritaire.

Ce que le garçon fait aussitôt.

— Euh… je voulais te dire que… ben… que c'est ma faute si le fort a été démoli.

Thomas ravale sa salive, la colère lui montant à la tête comme une chaleur sur les tempes.

— Mais c'est pas moi qui l'a fait! ajoute aussitôt Jesse en percevant l'irritation du jeune Hardy. C'est juste que… ben j'ai pas pu m'empêcher d'en parler à mon voisin, pis lui pis ses chums ils sont allés là-bas pour détruire le fort. Je savais pas qu'ils feraient ça, je te jure!

— Je leur ai réglé leur cas, assure Jean-Yves à Thomas. Fais-toi-z'en pas avec eux. Ils sont peut-être pas ici pour s'excuser, mais je connais bien leurs parents. Ç'a dû brasser dans la cage, c'est certain!

Ne sachant pas trop quoi répondre, Thomas fait un demi-sourire et lève le pouce. Jesse lui présente de nouveau ses excuses.

— C'est pas tout, poursuit son père. Les Gauthier remboursent toujours leurs dettes. J'ai trois de mes employés qui sont au boisé en ce moment avec des souffleuses, plus quatre de mes chums qui sont forts comme des orignaux. On va vous le reconstruire, votre fort, encore plus gros que l'ancien ! Si tu veux, appelle tes amis, pis amenez-vous, je vous promets qu'on va avoir fini ça avant que le soleil se couche.

Tandis que l'incroyable nouvelle fait son chemin dans la tête de Thomas, son visage reste impassible, mais son âme sourit à sa place.

— Wow, finit-il par dire. Euh… je m'attendais pas à ça. Merci beaucoup en tout cas, c'est vraiment trop gentil de votre part, monsieur Gauthier !

L'homme tend sa main à Thomas, puis à Xavier qui a observé la scène avec grand plaisir. Les visiteurs partent aussitôt, laissant à *el comandante* le temps de rassembler sa troupe. Une heure et demie plus tard, les quatre amis rejoignent les ouvriers dans la clairière, le pas léger et le cœur rempli d'une joie aussi inouïe qu'inespérée.

Bien que le processus de construction précédent ait eu son charme, il s'agit aujourd'hui d'une tout autre chose.

— On est ailleurs, là ! s'exclame Karl, les yeux remplis d'admiration devant ces hommes costauds et travaillants.

Alors que trois souffleuses cassent la croûte glacée et crachent une neige plus maniable, les pelles s'activent dans un parfait synchronisme qui impressionne grandement les garçons. Ils restent d'ailleurs plantés là un moment à ne rien faire, plus que satisfaits de n'être que de simples spectateurs. Difficile de se trouver une tâche, aussi, dans tout ce vacarme. Finalement, Jean-Yves les invite à façonner les murets, tandis que lui et ses partenaires creusent davantage pour leur fournir la matière première. Lorsque la quantité de neige est jugée suffisante pour la grande entreprise, les hommes se joignent aux plus jeunes et donnent rapidement forme à la structure.

Le travail est terminé au beau milieu de l'après-midi, comme promis, avec un nouveau lot d'images saisissantes captées par William. Le fort est si impressionnant que, malgré son excitation, ce dernier en est presque jaloux.

— Le mien avait un peu plus de cachet quand même, ne peut-il s'empêcher de lâcher alors que ses amis admirent le travail des ouvriers.

Ernesto lui tape dans le dos.

— Oui, lui répond-il, mais le cachet ne fait pas gagner des guerres !

Difficile d'argumenter.

Pour rendre le fort plus sécuritaire, les adultes ont renforcé certaines sections avec des planches et ont même arrosé la surface grâce à un baril d'eau transporté en motoneige : la totale, quoi ! À présent, la structure couvre au moins le double de son ancienne superficie et s'élève sur deux niveaux. Une glissade a été façonnée sur la pente naturelle de la butte, offrant une sortie d'urgence similaire à celle du film qui a inspiré Thomas. Tout compte fait, le nouveau fort relève en lui-même de l'exploit, et une simple photographie mise en ligne serait assez pour susciter l'admiration des gens. C'est d'ailleurs pour cette raison que, juste à penser au film qu'ils s'apprêtent à tourner, nos quatre braves jubilent.

Après avoir couvert de remerciements chacun des bénévoles, Thomas et sa bande les regardent quitter les lieux, le cœur rempli de gratitude. Ils restent quant à eux sur place jusqu'au coucher du soleil, à la fois pour préparer le tournage du lendemain et pour s'assurer que personne ne viendra poser ne serait-ce qu'un petit doigt sur leur précieux fort.

William téléphone ensuite aux participants pour vérifier leur disponibilité et, lorsque le compte est bon, les quatre mousquetaires expriment bruyamment leur joie.

— UN POUR TOUS! s'écrie Thomas.

— TOUS POUR UN! répondent les trois autres avec un enthousiasme débordant.

Ils se tapent dans la main avec tellement de force que leur peau pique même à travers leurs gants. Pendant un moment, les grands de première secondaire se transforment en enfants du primaire et s'amusent comme des petits fous à parcourir la structure (tout en abusant de la glissade!) : un laisser-aller bien mérité dans les circonstances. Lorsque leur excitation s'éteint quelque peu et se voit remplacée par la délicieuse fatigue du travail accompli, les copains jettent un dernier coup d'œil au chef-d'œuvre, puis quittent à leur tour la clairière.

— À demain, mon beau fort, soupire William.

— Oh, parce que c'est rendu TON fort maintenant? lui lance Thomas en riant.

William acquiesce vivement, sous les inévitables protestations des trois autres.

DIX-SEPT

Le tournage du film ne se fera pas sans sacrifice personnel : la veille, vers l'heure du souper, Annick a téléphoné à Thomas pour lui dire qu'elle allait descendre dimanche en ville pour son magasinage. Ô malheur, ô déception ! Bien que l'idée de reporter sa bravoure à la fin de semaine suivante ait traversé l'esprit de Thomas, le risque de voir le fort de nouveau démoli, soit par vandalisme ou à cause des caprices de dame Nature, est trop grand. Même le prétexte de prendre une semaine de plus pour peaufiner le scénario n'a pas fait long feu dans sa tête, surtout qu'une telle décision aurait été extrêmement égoïste. Non, c'est en ce 12 février 2012 que *La Guerre des mitaines* sera immortalisée ; le cœur de Thomas devra quant à lui patienter encore un peu…

À neuf heures, nos quatre braves sont déjà sur place, s'affairant aux derniers préparatifs. Comme il fait froid, les caméramans doivent ménager piles et batteries en limitant le plus possible le contact des appareils avec l'air ambiant. Ernesto a d'ailleurs enveloppé sa caméra, un modèle plus ancien, dans son foulard et a baptisé sa création « *la momia* ». Lorsque les acteurs arrivent sur les lieux, la plupart accompagnés cette fois de leurs parents curieux, la bande se réjouit de voir qu'ils ont suivi les directives d'habillement à la lettre. Véritables petits soldats des neiges, ils ont des armes et des armures bon marché ainsi que des accessoires artisanaux qui divisent le groupe en deux : les bleus et les rouges.

— Je pense que ça va être une belle journée après tout, dit Thomas en observant les premiers arrivants.

— Après tout ? s'étonne William.

Thomas soupire.

— Oui, après tout, répète-t-il avec une dernière pensée pour Annick.

Puis les réalisateurs en herbe accueillent leurs vedettes avec le sourire et la bonne humeur.

Quand tout le monde est présent, le groupe de dix-sept se scinde en deux équipes de tournage. Thomas et Ernesto emmènent une équipe à la bordure de la clairière, tandis que Karl et William occupent le fort avec l'autre équipe. L'idée est simple : des scènes seront tournées de chaque côté, offrant la perspective des deux camps, jusqu'à l'affrontement final. Les gens qui sont dans le fort, de riches exploiteurs, vaquent à leurs activités quotidiennes, s'amusent ou se prélassent paresseusement tandis que les autres, pauvres et affamés, complotent pour reprendre les richesses qui leur ont été volées. Pour éviter des dialogues mal rendus, cette partie du film s'inspirera du cinéma muet. Elle sera convertie en noir et blanc lors du montage, et des écrits seront insérés entre les scènes pour expliquer le contexte et décrire les deux clans.

— Vous grelottez! s'écrie Thomas avec intensité. Vous avez très froid!

Ses acteurs obéissent et simulent le mordant d'un terrible hiver (en réalité, le mercure est tout juste en dessous de zéro).

— Tiens, prends ça, dit Ernesto à Maxime en lui offrant une branche de sapin. Fais semblant de la manger et recrache-la aussitôt!

Le petit Maxime, qui mord vraiment dans le conifère, recrache le bout d'écorce d'une façon on ne peut plus réaliste qui fait bien sûr rire tout le monde.

— Un peu de sérieux, se plaint Thomas, même s'il rigole lui-même. Annabelle, suis-moi, s'il te plaît.

La petite fille se lève et attend les directives avec impatience tandis que Thomas place un ours en peluche derrière un buisson défeuillé.

— Bon, tu vas te promener comme une vraie chasseuse, avec le regard intense d'une tigresse. Tu avances doucement, comme si tu voulais pas faire fuir ta proie, pis quand le toutou est bien en vue, tu t'accroupis, tu bandes lentement ton arc pour bien viser, pis tu décoches ta flèche. C'est bon?

— Oui, mais si je le rate, il faut tout recommencer?

— Non, c'est vraiment pas grave si tu le rates, parce qu'on va faire un autre plan où on lancera la flèche de près. Tu vas voir, avec le montage, ça va donner l'illusion que tout se passe en un seul mouvement.

Annabelle, pas trop certaine de comprendre l'astuce, hausse les épaules et se met aussitôt dans la peau de son personnage. Deux mois plus tard, alors qu'elle regardera *Hunger Games* en compagnie de son père, celui-ci s'exclamera : « Hé, elle te ressemble, la fille avec l'arc ! » Mais, pour l'instant, la référence échappe à tout le monde.

— Coupé ! s'exclame Thomas après une seule prise. C'était parfait !

La chasseuse glousse de bonheur. La scène se poursuit quelques instants plus tard, alors qu'Annabelle ramène à ses compagnons le maigre ourson pour dîner.

— Vous vous l'arrachez, commande Ernesto. Vous avez si faim que le partager n'est pas une option. *Sí*, comme ça ! C'est bien !

— Oups !

Antoine, l'un des garçons, tient la patte gauche de la peluche dans sa main.

— T'en fais pas, *muchacho*, on s'en moque, du vieil ourson ! Continuez la scène, déchirez-le en morceaux si vous en avez envie !

Ce qu'ils font avec plaisir.

— Maintenant, tu te fâches, Annabelle ! ajoute Thomas. T'as pas passé tout ce temps-là à chasser pour que les autres se chicanent ! En plus, c'est TA prise !

Sans dire un mot, la petite fille gronde ses amis du doigt et des yeux comme une maman en colère.

— Là, vous réalisez que votre comportement est stupide, pis vous vous faites des câlins !

Feignant la honte, les enfants hésitent néanmoins à suivre le reste de la directive, peu habitués à de telles démonstrations d'affection entre eux.

— Oh, allez ! insiste Ernesto. C'est pour le film, juste des petites accolades pour montrer que vous êtes unis à nouveau. *Perrrrr… fecto !*

— Maintenant à vos armes ! s'écrie Thomas. Le temps est venu de reprendre ce qui vous appartient !

Les guerriers se lèvent, puis ramassent leurs épées.

— Frappez vos boucliers! Faites du bruit!

Dans le fort, un garde gît sur le sol, endormi, et quatre autres jouent aux cartes. Les deux filles, elles, se font les ongles en jacassant. William ramène sa caméra sur les joueurs et donne ses consignes:

— Jesse, pointe le doigt en direction de la forêt comme si t'avais aperçu quelque chose. Les autres, regardez vers l'endroit qu'il indique. Excellent. Maintenant, échange ton deux pour un autre roi pendant qu'ils ne te regardent pas, pis fais comme si de rien n'était. Hahaha, c'est bon. Ramenez votre attention sur la partie, pis montrez vos jeux.

— Je gagne! s'exclame Jesse en levant les bras, avant de ramasser fièrement les pièces d'or (en chocolat).

— Marc-André, toi, tu te doutes de quelque chose, alors va vérifier s'il a pas une carte cachée quelque part.

— Hé, pas touche! proteste Jesse.

— Tricheur! Tricheur! crient les trois autres avant de lui sauter dessus.

— David, tu te réveilles à cause du bruit. Tu te lèves pour aller voir ce qui se passe, mais tu t'enfarges dans le pied de Jesse. Essaie de tomber vers l'avant.

Le garçon fait ce qu'on lui demande, mais la chute paraît trop artificielle.

— On recommence ! lance William.

Après être tombé de nouveau, David doit se relever et faire semblant d'apercevoir au loin les attaquants qui se ruent vers eux.

— Les gars, vous le croyez pas du tout parce que Jesse vient de vous faire le coup. Continuez plutôt à vous battre. Les filles, amenez-vous à la tour, pis mettez-vous à crier comme si vous aperceviez aussi l'ennemi qui approche !

Les demoiselles poussent à pleins poumons des cris si stridents que tout le monde grimace, y compris le caméraman qui peine à garder son cadrage. Cette réaction générale spontanée, si l'on se fie au sourire satisfait de Karl qui regarde l'écran du iPhone derrière son ami, est vraiment réussie.

— Maintenant, relevez-vous ! Tout le monde à son poste, la guerre est commencée ! OK… COUPEZ !

Pendant la pause, les réalisateurs se montrent les images captées et discutent de la suite.

— Moi, je vais être parmi eux lorsqu'ils vont courir vers le fort, dit Ernesto. Je vais essayer de filmer les visages de tout le monde.

— Hum, ajoute Thomas, on peut reprendre la scène plusieurs fois au pire, pis, avec deux caméras, ça va être plus facile. Quand on aura assez de matériel satisfaisant, je m'éloignerai un peu pour faire un plan d'ensemble.

— Moi, je vais les filmer d'une des tourelles pendant qu'ils avancent, propose William. Ça va être malade !

— Oui, mais cache-toi bien, il faut vraiment pas qu'on te voie. Pis tu vas juste pouvoir tourner dans le plan où, nous, on n'est pas parmi eux. Ça ferait vraiment poche si les caméramans faisaient partie du cadrage.

— Oui, inquiète-toi pas, j'y avais pensé.

— Ouin, j'ai hâte de faire quelque chose, moi, bougonne Karl avant d'avaler le reste de sa barre tendre bio sans sucre ajouté (une nette amélioration par rapport à ses Mr Big adorées).

— Oh, arrête, lui répond Thomas, t'as le rôle le plus *hot* dans le film !

Un fait que le colosse ne peut nier.

Lorsque le signal est donné, les attaquants lèvent leurs épées vers le ciel et se mettent à crier. C'est là que l'image reprendra ses couleurs et que le son reviendra. C'est aussi à ce moment que la musique de la scène finale de *La Guerre des tuques* commencera à jouer. Annabelle bande son arc et décoche une flèche en direction du fort, une flèche à ventouse qui, par la magie du montage, ira se coller cent mètres plus loin sur le casque de hockey de Jesse. Une fois la cible atteinte (en concept), les jeunes guerriers se mettent à courir devant les caméras de Thomas, qui a déjà pris un peu d'avance sur eux, et d'Ernesto. Ce dernier, qui est censé les suivre pour filmer de près leurs expressions faciales, s'enfarge dans un bloc de glace et réussit tout juste à protéger l'appareil du choc.

— Ça va ? lui crie Thomas qui l'a vu tomber.

Ernesto répond affirmativement d'un signe du pouce et lève sa caméra bien haut comme s'il venait de réussir un toucher. Après s'être assurés qu'il n'y a plus d'obstacles de ce genre sur le terrain, ils reprennent aussitôt la prise, puis ils en filment une autre, et une autre, et... Vous comprenez le principe. Lorsqu'ils ont assez de matériel pour créer une ruée aussi intense que convaincante, les deux caméramans vont rejoindre William derrière le fort et décident d'ajouter des angles à la scène.

— Eille ! se plaint aussitôt ce dernier. Vous l'avez eu, votre fun. Là, c'est MA prise.

— Franchement, répond Thomas. Au pire, ça va nous donner plus de choix au montage. On va privilégier TES images, OK ?

William marmonne un peu et donne ensuite le signal aux attaquants qui ont regagné leurs positions initiales à l'autre bout de la clairière. Tandis que ceux-ci avancent à toute allure, Thomas et Ernesto pointent leurs objectifs vers les défenseurs, qui exécutent plutôt bien leurs nouvelles directives. David fait sa prière, Annie et Véronique se blottissent l'une contre l'autre dans un coin, et Jesse (la flèche toujours collée sur son casque) ramasse toutes les pièces d'or abandonnées par les autres garçons qui regardent avec angoisse l'ennemi approcher.

Les scènes de combat, par leur complexité, donnent du fil à retordre aux jeunes réalisateurs. Les enfants exagèrent parfois leur gestuelle ; chacun veut (pour bien paraître) avoir le dessus sur son adversaire ; et certains se plaignent de boules lancées un peu trop fort à des endroits non protégés.

— Tu l'as fait exprès ! crie l'un d'entre eux en réchauffant d'une main sa joue rougie.

— Pas du tout ! réplique Maxime avec son air angélique sans prendre la peine de demander pardon.

— Menteur ! Je te connais !

C'est surtout la quantité d'actions simultanées qui cause des problèmes : les caméramans entrent souvent dans le cadre de leurs collègues, et certains acteurs ont du mal à recréer avec exactitude leurs mouvements lors des reprises (ce qui entraîne des faux accords durant le montage, par exemple lorsque quelqu'un a les cheveux attachés dans un plan, puis détachés dans celui qui suit, et ce, sans même les avoir touchés). Mais, malgré tout, le processus reste un puzzle agréable et offre aux créateurs plusieurs possibilités d'improvisation.

Quand les attaquants sont sur le point de remporter la bataille, les défenseurs sortent leur arme secrète : l'ogre d'Ahuntsic. Heureux de pouvoir enfin participer concrètement au film, Karl prend son rôle très au sérieux et fait une entrée spectaculaire : après s'être fait recouvrir de neige pour ressembler à une statue, il se libère de sa peau glacée et surprend les envahisseurs en poussant un hurlement terrible, digne d'un véritable ogre. Il se met ensuite à bousculer les jeunes à gauche et à droite sous les encouragements de son équipe soulagée.

Tandis que leur victoire est presque assurée, Karl reçoit une flèche en plein cœur et vacille, hébété, utilisant les dernières forces que lui donne sa furie pour s'approcher d'Annabelle. Il s'effondre cependant aux pieds de la fillette, qui émet à son tour un cri triomphal. Finalement, alors que tout le monde est épuisé par ce combat intense, les jeunes se lèvent, se regardent avec un respect mutuel et déclarent une trêve. Certains se serrent la pince, et d'autres se font une belle accolade à grand renfort de promesses de paix et de partage. Puis la caméra de Thomas s'éloigne de la scène et pointe vers le ciel, duquel une fine neige s'est mise à tomber :

— COUPEZ !!!

Cris de joie, applaudissements, yeux brillants de fierté : tous les signes d'une célébration bien méritée. Les parents, qui sont restés patiemment au bord de la clairière pour observer la bataille, s'avancent vers l'équipe de tournage pour retrouver leurs petits acteurs. Le père de Jesse est le premier à aller féliciter les jeunes, fier non seulement du travail de son garçon, mais aussi de sa propre initiative de la veille qui a sauvé le tournage, un fait que Thomas n'oublie pas de mentionner plusieurs fois. La mère de ce dernier est d'ailleurs elle aussi présente avec sa partenaire de marche, la sympathique voisine d'en face, pour prendre des photos.

— Alors, comme je peux voir, ça s'est bien passé ! dit-elle à son fils en le serrant contre elle.

— Oui, vraiment ! Hé, tu peux prendre une photo de nous quatre ?

— Bien sûr ! Bonjour, les garçons !

— Bonjour, madame Hardy! lui répondent Ernesto, William et Karl à l'unisson.

Les quatre garçons se placent devant le fort, les bras croisés et le regard héroïque.

— Une avec nous aussi! s'écrie Annabelle.

Thomas fait signe aux enfants de venir les rejoindre.

— Amenez-vous! lance William avec impatience, lui qui rêve déjà de rentrer à la maison pour visionner les images tournées sur écran géant.

Tandis que les dix-sept jeunes posent fièrement, Diane est prise d'un frisson qui lui fait rater sa première photo. Inutile de dire que ce n'est pas l'air froid qui en est responsable, mais bien le sourire resplendissant de son fils.

DIX-HUIT

Le montage de la troisième bravoure, *La Guerre des mitaines,* a été de loin le plus compliqué. Heureusement, Denis a consacré quelques heures de son temps au projet des garçons, et son expertise leur a permis de créer un court-métrage au look professionnel dont ils peuvent vraiment être fiers. Chaque soir après l'école, Thomas s'est rendu chez William pour travailler sur le film, absorbant avec une grande concentration toutes les informations transmises par l'informaticien, ce qui est en soi un véritable exploit si l'on considère l'énergie mentale exigée par les cinq périodes de cours quotidiennes. «Vous feriez des meilleurs élèves que la plupart des cégépiens d'un programme de cinéma, je vous le jure!» leur a dit Denis avec la plus grande sincérité, les voyant assimiler les nouvelles techniques de montage avec la même facilité et la même détermination que celles avec lesquelles les jeunes mémorisent les mouvements complexes de leurs avatars dans des jeux vidéo. William a même blagué à propos du fait que, par manque de temps à consacrer à ces derniers, c'était devenu ÇA, sa principale source de divertissement. Nous sommes bien loin de Mario Bros, tout de même…

Ainsi que Thomas l'a promis à madame Julie, la grande première aura lieu à Léo-Lauzon, son ancienne école primaire, devant tous les élèves. L'événement, pour lequel les quatre amis ont reçu la permission de manquer leurs deux cours du vendredi après-midi, comptera d'ailleurs (comme convenu avec leurs professeurs respectifs) pour plusieurs devoirs : un répit bien apprécié par nos petites fourmis travaillantes. Il faut dire que, depuis quelque temps, surtout pour Thomas et William, une bonne partie de leurs moments de détente et de fixage de plafond a été remplacée par un projet qui, malgré ses côtés ludiques et stimulants, n'a pas été de tout repos.

Après avoir dîné chez les Hardy, la bande se rend à pied à la première.

— Un jour, soupire William, on aura peut-être notre limousine personnelle…

Thomas rit, puis acquiesce.

— Vous aimeriez vraiment ça ? leur demande Ernesto. Le tapis rouge, les paparazzis et tout ?

— Hum… mets-en ! répond William.

Thomas, lui, est plus nuancé :

— Ouin, je vois où tu veux en venir. C'est certain qu'il doit y avoir des côtés poches, mais…

— Mais quoi ? l'interrompt le jeune Mexicain. C'est le contraire de ce qu'on essaie de faire, non ? Surtout après avoir aidé les sans-abri, je me sentirais mal d'afficher ma fortune comme ça si j'étais riche. S'attirer la célébrité, ce n'est pas ce qu'on cherche, nous !

— Non, mais être connu, ça doit aider à aider. Genre, il y a plein de monde qui te regarde pis qui t'écoute, alors si ton message est bon, tu penses pas qu'il va se répandre plus facilement ?

— *Sí*, c'est vrai, il y a de bons et de mauvais côtés, je suppose. Je me faisais l'avocat du diable, c'est tout. Mais je me déplacerais tout de même dans une voiture ordinaire en public, même si je pouvais me payer mieux.

— Moi, en tout cas, dit Karl, j'aimerais ça me faire conduire en limousine un jour. Pas pour faire mon frais par exemple, juste pour le fun.

Thomas pose une main sur son épaule.

— Pour nous rendre à notre bal de finissants, je te promets la plus belle limousine que t'auras jamais vue !

Karl sourit.

— Notre bal de finissants, c'est loin en maudit, ça !

— Bah, répond Thomas, le temps passe tellement vite. Est-ce que tu m'aurais cru si je t'avais dit au début de l'année qu'on présenterait un jour devant une école entière un film qu'on a tourné nous-mêmes ?

En apercevant la bâtisse, Karl ravale sa salive, et son rythme cardiaque augmente.

— Bon point, admet-il avant de prendre une grande inspiration.

Thomas se met à marcher à reculons et regarde ses amis dans les yeux.

— Vous êtes prêts, les gars ? leur demande-t-il.

Ils acquiescent un par un.

— Alors, on y va !

Les copains passent par l'entrée principale et se présentent devant le bureau de madame Julie. Celle-ci les accueille avec son dynamisme habituel, heureuse de rencontrer enfin les fameux partenaires de Thomas. Elle les accompagne ensuite au gymnase. Les professeurs qui se sont portés volontaires pour transformer ce dernier en salle de projection, et parmi lesquels se trouve madame Caroline, interrompent leur discussion animée et s'avancent vers les invités qu'ils couvrent de compliments : de quoi leur insuffler une bonne dose d'assurance pour la présentation qui va suivre.

— Si vous saviez! s'exclame madame Caroline de manière presque théâtrale. Ce n'est pas des blagues, j'ai passé la meilleure semaine de l'année avec mes élèves! Qu'est-ce que vous leur avez fait, coudonc?

Bien entendu, elle connaît déjà la réponse à sa question. Depuis le début de la construction du fort, et surtout depuis le tournage, ses jeunes ont tous montré une joie de vivre accrue et, de façon générale, leur comportement s'est amélioré. Cette toute nouvelle passion commune, aussi stimulante que rassembleuse, semble leur avoir mis du vent dans les voiles. Il faut dire que les élèves des classes normales, ayant entendu parler du projet, se sont mis à s'intéresser davantage à eux, ce qui a automatiquement fait augmenter leur estime d'eux-mêmes.

— En plein dans le mille! lance Thomas à ses amis à la suite de cette mention.

En effet, leur objectif principal a été atteint.

Lorsque la cloche met fin à la période du dîner, les enseignants conduisent les jeunes au gymnase où ils prennent place en silence. Les chaises de la première rangée sont réservées aux acteurs, dont les noms sont écrits sur des petits cartons collés sur les dossiers. Ils sont d'ailleurs les derniers à arriver, sous les applaudissements chaleureux de tous. Ce moment magique, ponctué par les joues rouges et les grands yeux incrédules d'Annabelle et compagnie, émeut grandement nos quatre braves. Sans le savoir, Thomas et ses amis partagent au même moment la même pensée : *Ça en valait vraiment la peine…*

Après un bref discours, madame Julie présente les créateurs du film au public : lorsqu'il entend prononcer son nom, Karl craint de s'évanouir et doit faire de gros efforts pour se ressaisir. L'accueil qui leur est réservé, à ses compagnons et à lui, est extrêmement chaleureux et sincère. Les enfants les considèrent comme de véritables stars, et les enseignants qui sont eux-mêmes parents souhaitent secrètement que leur progéniture possède, un jour, au moins le quart de l'initiative et de l'altruisme des garçons debout sur la scène. Lorsque les applaudissements se calment, *el comandante* prend la parole :

— Bonjour, tout le monde, et merci pour vos encouragements. On travaille fort depuis le début de l'année, pis votre réaction nous dit qu'on fait du bon boulot. Personnellement, c'est pas la première fois que je me retrouve devant un public pour parler des bravoures. En fait, ça s'est produit il y a pas si longtemps dans une école secondaire. C'était une belle expérience, j'ai vraiment tripé, mais je me suis vite rendu

compte qu'il manquait quelque chose d'important à mon bonheur à ce moment-là. Non, pas
juste une chose importante, une chose essentielle.
Je veux parler de mes meilleurs amis : Ernesto,
William et Karl.

Les trois garçons rougissent d'émotion.

— Ils sont tous très différents, poursuit-il,
mais ils ont tous quelque chose d'unique qui
les rend ultra cool. Sans eux, il y aurait pas de
bravoures et je serais pas ici. En fait, j'ai même
pas envie de penser à ce que je serais sans eux.

Ernesto se retourne vers Thomas et lui serre
affectueusement la pince, suivi des deux autres.

— Merci, les gars…

Sous les applaudissements, le jeune Hardy
remet le micro à William en lui chuchotant :

— C'est à ton tour, amuse-toi !

C'est ainsi que les copains prononcent leurs
petits discours, chacun avec ce « quelque chose
d'unique qui les rend ultra cool », comme le dit
Thomas. William rend un touchant hommage à
son paternel, Ernesto vante le Québec et les for-
midables possibilités qu'il offre, et Karl, le moins
éloquent du groupe, se contente de remercier
les gens qui ont pu, de près ou de loin, contribuer
au projet.

— Comme ça, c'était plus facile à écrire…,
explique-t-il à ses amis par la suite.

Peu après, les lumières du gymnase baissent et une surprise de taille attend les quatre garçons : les élèves de sixième année de la concentration cirque leur offrent un superbe spectacle en leur présentant des numéros appris au cours de l'année. Il y a des clowns, des gymnastes, des jongleurs et même un monocycliste.

— Tout ça pour nous ? s'étonne Karl, en admiration devant le talent indéniable des enfants.

Le dernier numéro, et le plus époustouflant, est présenté par un équilibriste qui grimpe graduellement sur des caisses de lait vides jusqu'à en avoir empilé une dizaine. Ensuite, pour épater davantage la galerie, il se met à jongler avec des quilles à quelques mètres du sol. Ernesto, connaissant bien l'éclat qu'il y a en ce moment dans les yeux de Thomas, sourit en secouant la tête :

— Je sais à quoi tu penses, mon gars…, lui dit-il tout bas.

Après le spectacle, la projection tant attendue commence.

Tout au long du film, les acteurs rient aux moindres faits et gestes de chacun à l'écran et échangent des regards émerveillés. Vraiment, il en aurait fallu beaucoup moins pour les impressionner, mais force est d'admettre que les réalisateurs ont fait un boulot formidable. D'ailleurs, ce qui frappe le plus les adultes, c'est le côté ultra fignolé du film. Bien que William ait donné beaucoup de crédit à son père, ils restent néanmoins abasourdis que des jeunes de douze et treize ans aient pu réussir quelque chose d'aussi songé, avec un look plutôt professionnel pour une vidéo amateur. « Regarde bien ça, peut-on entendre, c'est eux qui vont rafler les Jutra dans quinze ans ! » Ou encore : « Ils vont percer dans le domaine s'ils continuent comme ça, c'est clair ! » Puis le générique défile et les lumières se rallument sous des applaudissements encore plus intenses qu'auparavant.

Le soir même, juste avant de se coucher, les quatre amis auront encore une fois le même réflexe, celui de jeter un dernier regard sur leur toute nouvelle décoration murale : une affiche de leur film, imaginée et peinte par madame Caroline, sur laquelle tous les élèves de sa classe ont signé. « Merci pour tout ! » peut-on y lire en grosses lettres. Ce sont pourtant nos jeunes héros qui se sentent reconnaissants tandis qu'ils ferment les yeux et s'abandonnent à un sommeil bien mérité.

DIX-NEUF

Trois mois se sont écoulés depuis la première de *La Guerre des mitaines*. Après la mise en ligne de la vidéo, la réputation de Thomas et de sa bande s'est accrue : si l'originalité et la nature altruiste des bravoures précédentes avaient charmé les auditeurs, cette fois, c'est la qualité particulière de l'œuvre qui est venue donner encore plus de crédibilité au talent artistique précoce de ses créateurs. Quelques pseudo-célébrités francophones YouTube ont d'ailleurs vanté le court-métrage sur leurs blogues, et ce dernier a même été mentionné à l'émission *Vlog* de TVA. En voyant leur bijou à la télévision, les garçons sont devenus fous de joie comme s'il s'agissait d'une véritable consécration.

La collecte d'argent va bon train et le compteur ne cesse de monter : le total des dons recueillis par les écoles participantes et le système de donation du site atteint presque les quinze mille dollars. Alors qu'il reste encore un mois avant la grande épicerie et la remise subséquente des denrées à l'organisme Dans la rue, le but de Thomas est maintenant d'atteindre le cap des vingt mille. Avec un si gros montant dans la mire, le jeune Hardy commence d'ailleurs à se demander si l'établissement sera bel et bien en mesure de stocker toute la nourriture achetée durant la journée prévue. «On n'a qu'à remettre le don en argent, ça va être plus facile comme ça», lui a répété plusieurs fois Jean-François, mais la folie des grandeurs de Thomas le fait s'accrocher à son idée initiale.

Depuis la première à l'école, les quatre amis ont donné une autre conférence, cette fois-ci à l'école secondaire d'Olivier, qui s'est très bien déroulée. Même si Karl et William étaient encore plus nerveux de se retrouver devant des élèves plus vieux, le respect que leur porte la majorité des jeunes les a vite rassurés. William le montre certes un peu moins, mais son perfectionnisme rend ses apparitions publiques angoissantes : il a toujours peur de s'enfarger dans ses mots, de dire des bêtises ou d'être tout simplement ennuyeux. Tout compte fait, son apparence et sa personnalité uniques le rendent attachant aux yeux de plusieurs et il s'est vite aperçu qu'il s'en faisait pour rien. Ernesto, quant à lui, parle avec un grand naturel et vole régulièrement la vedette avec des commentaires spontanés et hilarants.

Thomas et Annick se sont enfin revus vers la fin de mars, pour une journée de ski de printemps. Bien qu'une vilaine grippe ait failli saboter une fois de plus ses plans, le garçon a rassemblé toutes ses forces pour se rendre quand même au rendez-vous qu'ils s'étaient donné. La journée a été mémorable, malgré la fatigue, et les deux amis ont su rétablir le contact comme s'ils s'étaient vus la veille : il faut dire que leurs conversations téléphoniques étaient devenues hebdomadaires et les avaient empêchés de trop s'éloigner l'un de l'autre.

Quand Thomas l'a interrogée à propos de la fameuse nouvelle qu'elle avait déjà évoquée par écrit, mais dont elle ne lui avait jamais reparlé, Annick lui a annoncé quelque chose de majeur : il est possible qu'elle retourne au collège Archambault à l'automne. Il se trouve que ses grands-parents paternels, qui vivent depuis plusieurs années en Floride, ont récemment acheté un condo dans la métropole et comptent s'y installer définitivement. Comme Annick aime plus ou moins sa nouvelle école et que le niveau scolaire du collège montréalais correspond davantage à ses capacités, en plus d'offrir un programme d'arts à partir du deuxième cycle, papi et mamie Tremblay ont proposé de l'héberger pendant la semaine, quitte à ce qu'elle retourne chez ses parents chaque week-end et durant les congés. Il reste quelques détails de logistique (et d'hésitation maternelle) à régler, mais ça se présente plutôt bien : il y a de fortes chances que la vie de Thomas passe à nouveau de belle à sublime dès la rentrée !

Quant à la vie familiale chez les Hardy, elle a très peu changé, à part peut-être le comportement plus amical du grand frère qui perdure depuis quelques mois. Thomas connaît maintenant la cause de ce revirement : le prince Charles s'est trouvé une princesse, et son cœur s'est aussitôt ramolli. D'abord très secret au sujet de sa nouvelle flamme (il lui a fallu presque trois mois pour annoncer la nouvelle), il invite maintenant Audrée à la maison de façon régulière, assez souvent d'ailleurs pour qu'on puisse lui demander un loyer (une suggestion de Thomas qui a bien fait rigoler ses parents). Toujours en train de se chouchouter et de s'embrasser, le couple royal commence à taper royalement sur les nerfs du cadet.

— Vous pouvez pas faire ça ailleurs ? lance Thomas à son frère alors que sa douce et lui se bécotent devant la télévision. Au cas où vous le sauriez pas, ça peut aussi se vivre en privé, une relation amoureuse. Genre en bas dans le sous-sol, avec la porte fermée !

— Pauvre Thomas, répond Charles en le regardant d'un air presque affectueux. Tu sais pas encore ce que c'est, l'amour…

— Pfft! Oui, je le sais, tête de nœud!

— Quoi, Annick? Tu la vois aux trois mois, viens pas me faire accroire que c'est de l'amour!

— Charles! le gronde aussitôt sa copine. C'est chien, ça!

— Désolé, ma petite biquette adorée. T'as raison, c'était pas gentil pour Tom-Tom.

Puis le bécotage recommence de plus belle.

Pathétique! pense alors Thomas en observant cette incarnation mielleuse et soumise de son frère.

— Pis en passant, ajoute Charles avant que son frère ne change de pièce, oublie pas que c'est grâce à moi que t'as skié avec ta belle Annick les deux dernières fois…

Thomas s'arrête sec:

— Ouin… Merci bien.

— De rien, mon petit frérot préféré!

Frissons. Décidément, Thomas commence presque à s'ennuyer de l'ancien Charlot, celui à qui, au moins, il n'enviait plus grand-chose depuis que sa propre vie avait décollé.

Par la fenêtre de sa chambre, Thomas admire l'immense érable dont les branches se balancent au gré du vent. Contrastant avec un ciel si bleu qu'il peut rendre joyeux le plus grincheux des hommes, les feuilles encore toutes neuves de son arbre favori sont d'un vert fluorescent typique du printemps. Malgré tout, c'est avec une certaine nostalgie que le jeune Hardy a vécu la transition entre les deux saisons, d'une part parce que le fort, qui a tenu jusqu'à la mi-avril, s'est effondré à jamais, et d'autre part parce que les deux superbes journées passées avec Annick se sont déroulées sous la bannière de l'hiver. Pourtant, avec l'été qui approche à grands pas, tous les espoirs lui sont permis en matière de rendez-vous romantiques, et ne cherchez pas plus loin pour savoir à quoi il pense en ce moment.

— Thomas! lui crie sa mère du rez-de-chaussée. Téléphone pour toi!

Le rêveur était si haut dans les nuages qu'il n'a pas du tout entendu la sonnerie. Il rejoint Diane à mi-chemin dans l'escalier et saisit le combiné.

— Allô?

— *Aaaaaaamiiiiigoooo!!!*

— Haha! Ça va, mon loup?

— *Sí, sí.* Qu'est-ce que tu fais à l'intérieur par ce beau dimanche de printemps?

— Pfft! Je te demande la même chose!

— Touché!

Bruits de pas au bout du fil, puis celui d'une porte qui s'ouvre.

— Tiens, finit par dire Ernesto, maintenant, je suis dehors!

— T'es con.

— *Sí*, très. Dis-moi, aurais-tu par hasard envie d'être con avec moi aujourd'hui?

— Une idée pas mal séduisante, tu proposes quoi?

— Passer l'après-midi à l'île de la Visitation avec de quoi manger...

— Ouin, on a le paysage pis le pique-nique, c'est PRESQUE complet comme rendez-vous galant.

Ernesto se met à rire.

— Tu as le «blues Annick», c'est ça?

— On peut rien te cacher, mon gars. Mais oui, pour répondre à ton offre, ça me tente. Je vais demander à ma mère si elle peut venir me reconduire chez vous, sinon je vais prendre le bus qui passe dans...

Il jette un coup d'œil à son réveille-matin.

— ... vingt minutes.

— *Perfecto!* À plus!

— À moins!

— À moins que quoi?

— Non, rien, c'était un jeu de mots.

Silence au bout du fil.

— Laisse faire, mec, ajoute Thomas. À tantôt !

— Oh, haha ! Je viens de compr…

Clic !

Une heure plus tard, les deux copains marchent sur le sentier de gravier en bordure de la rivière des Prairies. Le parc est animé, et les gens jubilent de retrouver enfin sandales et manches courtes. Ils font du patin à roues alignées ou du vélo, promènent leur chien ou se font dorer au soleil sur le gazon. Incroyable, tout de même, ce retour à la vie après les rigueurs de l'hiver !

— As-tu trouvé un endroit pour le lave-auto en fin de compte ? demande Ernesto.

La prochaine bravoure, prévue pour le début de juin, consiste à organiser un lave-auto avec une thématique de cirque. Pendant que les bénévoles décrasseront les véhicules, les clowns, les gymnastes et les acrobates de l'école Léo-Lauzon se relaieront pour divertir les conducteurs et leurs passagers.

— C'est pas cent pour cent certain, mais Jean-François a réussi à retrouver le proprio du garage abandonné sur Henri-Bourassa. Il veut bien nous prêter les locaux, mais je pense qu'il y a une affaire d'assurances à régler, ou quelque chose comme ça. On devrait avoir une réponse bientôt. Au pire, on a d'autres options, ça sera pas vraiment un problème.

— Peut-être, mais quand même, ça serait trop parfait comme emplacement !

— T'as pas à me convaincre, je le sais. C'est juste que j'ai pas envie d'être déçu si ça tombe à l'eau.

— À l'eau ? Lave-auto ? Deuxième jeu de mots de la journée, *amigo*, bravo !

— Haha ! Il était pas volontaire, celui-là. En tout cas, j'ai hâte ! Il me semble qu'on est dus pour sortir nos caméras !

— Parle pour toi ! Moi, je suis devenu carrément obsédé ! J'ai pris l'habitude de filmer toutes sortes de trucs. Je dois être rendu à une douzaine de cassettes !

— Tu transfères rien sur ton ordi ?

Ernesto secoue la tête.

— Non, il est tellement lent que ça bogue tout le temps.

— Ouin, c'est pas la meilleure combinaison au monde, ça, une caméra à cassettes pis un vieux dinosaure…

— Bah ! Moi, ça me convient. On s'arrête ici ?

— Yep !

Le banc de bois sur lequel ils s'assoient offre une belle vue sur la rivière et sur la petite famille de canards qui, à ce moment même, passe juste devant eux. Après avoir partagé avec les canetons environ le tiers du pain de leurs sandwichs, les deux amis se mettent à leur tour à grignoter.

— Pour en revenir à Annick, pourquoi tu ne vas pas tout simplement chez elle une fin de semaine? demande Ernesto. Vous êtes assez proches l'un de l'autre pour ça, non?

— C'est clair que ça serait malade, genre vraiment! Mais j'attends que ça vienne d'elle.

— *Por qué?*

— Je sais pas, je veux pas avoir l'air désespéré, pis on dirait qu'elle préfère me voir dans un endroit plus neutre, comme les pistes de ski. Je pense aussi qu'elle a un nouveau chum, ou un prétendant en tout cas.

Le jeune Mexicain s'étouffe presque.

— Sérieusement?

— Oui.

— Elle te l'a dit?

— Pas directement, mais elle me parle régulièrement d'un ami qu'elle s'est fait là-bas.

— Oh, juste un ami…

— Peut-être, mais c'est sa manière d'en parler qui m'inquiète. Il a l'air trop parfait, de la façon qu'elle me le décrit, pis sa voix change quand elle mentionne son nom, comme si elle voulait pas me faire de la peine.

— C'est quoi, son nom, à ce *gringo*?

— Danny.

— Un autre Dany? Haha! Je m'inquiéterais pas trop, moi…

— Avec deux *n*, celui-là. J'ai regardé sur son Facebook.

— Quand même! Je sais pas c'est qui, ce gars, mais c'est impossible qu'il arrive à la cheville du *comandante*!

Thomas sourit.

— Ah, si au moins elle pouvait me voir avec tes yeux à toi…

Ernesto fronce les sourcils.

— Ça ne t'avancerait pas beaucoup, ça.

— Ah non?

— Non, parce que si c'était le cas, elle ne voudrait jamais t'embrasser!

La cane et ses petits, qui étaient restés tout près au cas où les deux garçons auraient un nouvel accès de générosité, se sauvent, effrayés par leurs rires.

VINGT

Lundi, après les cours, Thomas s'est assoupi sur une chaise dans le bureau de Jean-François en attendant son retour.

— Bon, le voilà parti dans les vapes ! s'exclame l'enseignant lorsqu'il entre dans le local.

— Hein ? fait Thomas, les paupières à demi closes. Quoi ?

— Ha ! Tu t'es endormi pour vrai !

— Oh, hum…

Le garçon s'étire et regarde autour de lui en bâillant.

— J'ai une bonne nouvelle !

Cette fois, les yeux de Thomas s'ouvrent grand.

— Ça fonctionne pour le garage ?

— Oui, monsieur. C'est réglé ! Tout ce que le propriétaire nous demande, c'est de remettre l'endroit en ordre quand on partira. Il va être en dehors de la ville le jour de l'événement, mais il va me laisser les clés.

— C'est ben cool de sa part ! On est vraiment chanceux…

— C'est le karma, mon homme, c'est le karma. On pourra même s'y rendre le vendredi soir pour décorer la place, qu'est-ce que tu en dis ?

— J'en dis que je pouvais pas demander mieux ! En plus, sais-tu quoi ? Denis va nous prêter son projecteur pour la journée. Il va venir l'installer lui-même, pis on va utiliser un drap blanc comme écran. Comme ça, dans les temps morts entre les numéros, les gens vont quand même avoir quelque chose à regarder.

— C'est super, ça ! Vous allez mettre quoi ?

— On le sait pas encore, peut-être un montage de toutes les bravoures ou quelque chose d'autre si on trouve mieux. Ce que j'aime avec un projecteur, c'est que si la pièce est assez sombre, elle prend les couleurs des images qui passent. Ça fait une sacrée ambiance.

— En effet. En plus, les murs, à l'intérieur du garage, sont blancs.

Thomas lève les deux pouces, puis fait une déclaration sortie de nulle part qui surprend l'enseignant :

— T'as l'air vraiment heureux en tout cas, plus qu'au début de l'année, on dirait.

— Tu trouves ? demande Jean-François en souriant.

— Oui, t'as comme rajeuni.

— Haha! Tu trouves que j'avais l'air plus vieux?

— Je sais pas, il y avait comme un genre de petite noirceur, on dirait, pis, depuis un bout, t'as l'air plus enthousiaste.

— Perspicace, mon Thomas, pas mal perspicace. En fait, j'ai vécu une rupture à l'automne. Ma copine et moi, on s'est laissés après cinq années de fréquentation. J'ai tout fait pour que ça paraisse pas, mais la vérité, c'est que j'étais plutôt morose en dedans.

— Vraiment? Pis le fait de t'occuper de la collecte t'a redonné du pep, c'est ça?

— Ce n'est pas faux, mais ce n'est pas la seule chose par contre!

Thomas pose ses deux mains sur le bureau et se fait aller les sourcils (le copyright appartient toujours à Ernesto, mais les deux amis se sont entendus à l'amiable).

— Ooooooh, raconte...

Les yeux pétillants, le jeune homme s'avance à son tour et chuchote d'une voix pleine d'excitation:

— Je suis en amour!

— Pour vrai? Tope là!

POK!

— C'est officiel, depuis les fêtes. C'est pas mêlant, je flotte en permanence sur un nuage.

Thomas soupire.

— Ouais, ça me connaît, les nuages…

— Tu t'es fait une blonde, toi aussi ?

— Non, moi, c'est loin d'être *officiel*, comme tu dis. Mais ça change rien au fait que je passe plus de temps à rêver à elle que j'en passe avec elle dans la réalité.

— C'est super, ça !

— Tu trouves ?

— Évidemment ! L'incertitude, le désir, l'attente, les rêves romantiques ! C'est avec ça qu'on écrit des romans, mon homme, c'est avec ça qu'on fait des films !

— C'est drôle, elle est même pas encore à moi, pis j'ai déjà peur de la perdre.

— Oh, ne pense pas à ça ! C'est du poison !

— Mais ça fait mal, une rupture, non ?

— TRÈS. Si on est très attaché à la personne, en tout cas.

— Eh bien, c'est justement ça qui me fait peur.

Jean-François caresse doucement sa barbe, pensif.

— Tu sais, finit-il par dire, la passion amoureuse, je l'ai déjà vécue avec mon ex-conjointe. Au début, on était complètement fous l'un de l'autre.

— Ça finit par s'en aller, c'est ça ?

— Oui, enfin, c'est remplacé par un autre genre d'amour plus profond qui peut être tout aussi formidable, mais ce n'est pas mon point. Ce que je voulais dire, c'est qu'il y a beaucoup de poissons dans la mer et que, même si on a l'impression que notre vie est terminée pendant le deuil d'une relation, avec un peu de temps, on finit par l'accepter, puis on passe à autre chose. C'est pour ça qu'il ne faut pas s'en faire, surtout à l'avance.

— Ouin, c'est sûr…

— Et c'est bien fait, la vie, tu sais! Regarde-moi: malgré toute la peine que j'ai eue quand mon ex m'a laissé, je ne retournerais jamais en arrière.

— Laisse-moi deviner. Ça, c'est grâce à ta nouvelle conquête…

— Valérie, précise le jeune professeur.

— Hou là là! Vaaaaalééériiiie?

— Oui, monsieur!

Thomas se met à chanter:

— *Je voudrais bien qu'elle m'ai-me, mad'moiselle Valérie!*

Puis il fait signe à Jean-François de poursuivre.

— *Je voudrais bien qu'elle m'ai-me… et elle m'aime en maudit, oui oui!*

— Hahaha!!!

— Tu pensais m'avoir, hein? lui demande l'enseignant en lui serrant affectueusement les épaules. Bon, allez, dégage, jeune chenapan! J'ai justement rendez-vous avec mademoiselle Valérie.

Thomas bondit de sa chaise et fait le salut militaire.

— Amusez-vous bien!

— Toi aussi! À demain!

D'abord Charles, et maintenant Jean-François. *Si un de mes copains se fait une blonde, je déménage en Sibérie!* pense le garçon en quittant le bureau.

Le lendemain, alors que Thomas et sa bande jouent au frisbee sur le terrain de soccer, pendant la période du dîner, quelques groupies ne tardent pas à les supplier de les laisser se joindre à eux, davantage pour s'approcher du célèbre quatuor que par réel intérêt pour le jeu, fait rendu évident par leur jacassement incessant et par le fait que la plupart de leurs lancers virevoltent dans toutes les directions.

— Pas comme ça, Sophie! s'écrie Thomas. Je te l'ai dit, fais un mouvement de fouet avec ton poignet, t'es trop raide!

La jeune fille a un sourire gêné tandis que ses deux amies rigolent davantage.

— Tu pourrais te placer derrière elle, collé, pis lui montrer comment faire! suggère l'une d'elles.

— Ève, la ferme! riposte aussitôt Sophie Hamel, maintenant rouge comme une tomate.

Thomas regarde ses copains et soupire.

— Bon! intervient Ernesto. Pourquoi on ne changerait pas de jeu, hein?

— Oui, fait William, on pourrait jouer à la cachette!

— OOOOOUUUUI!!! répondent les trois filles à l'unisson.

— Avec de nouvelles règles par exemple, ajoute William.

— Comme quoi? demande Sophie en fixant Thomas, une idée bien précise se formant dans sa tête.

— C'est simple, vous trois, vous vous trouvez un endroit caché loin, loin, loin, pis vous y restez pour le reste du dîner. C'est bon?

Thomas et Ernesto se tordent de rire.

— C'est bon? répète William.

Les demoiselles semblent comprendre le message, mais restent néanmoins sur place à les observer d'un air un peu niais: c'est au tour de William de soupirer. Karl, visiblement le seul qui apprécie la présence des filles, s'avance vers elles et sort son aki.

— On joue à ça à la place?

— OOOOOOUUUUUUI!!!

Les trois autres garçons baissent la tête en même temps. Puis, après avoir essayé pendant cinq minutes de faire un seul tour de groupe avec le sac, Thomas déclare que ses partenaires et lui doivent se rencontrer en privé pour discuter de la prochaine bravoure. Ce qui n'est pas tout à fait faux, mais certainement opportun.

— Est-ce qu'on peut vous regarder ? demande Sophie.

Ce à quoi William répond :

— De loin !

De nouveau seuls, les quatre mousquetaires s'assoient à l'ombre, sous un arbre.

— Pourquoi t'étais chien avec elles ? demande Karl à William.

— Moi ? Bah ! C'étaient juste des blagues, pis les filles aiment ça, se faire taquiner. T'inquiète !

— Ça avait pas l'air d'être juste des blagues, en tout cas.

— C'est pas ça, c'est juste qu'on se fait souvent achaler, pis moi j'aime mieux quand on est juste nous quatre, comme au début de l'année. Il y a souvent du monde qui vient se joindre à nous, pis ça casse notre dynamique de groupe.

— Qu'est-ce que tu veux dire ?

— Ben, on dirait qu'on change quand il y a d'autre monde alentour, surtout quand ce sont des filles.

— J'ai remarqué ça aussi, ajoute Ernesto. Bien que des fois j'aime l'ambiance de gang, il me semble que ça nous arrive de moins en moins de nous retrouver juste entre nous.

— C'est drôle, dit Thomas. On voulait exactement le contraire au début de l'année.

William intervient aussitôt:

— TU voulais le contraire. Moi, j'ai trouvé ça *cute* au début, la popularité, mais là je m'ennuie du temps où on avait la paix le midi.

— Bah, au pire, on se réserve une ou deux Journées des braves pendant la semaine.

— Imaginez, fait Ernesto: «Pardon, *amigo*, as-tu ton laissez-passer pour la Journée des braves? Non? C'est bien ce que je pensais… Alors, tu nous fous la paix! Ouste!»

Thomas et William rigolent, mais Karl le prend au sérieux.

— Le monde va se mettre à nous détester, c'est pas une bonne idée.

— Nous détester? Impossible! Premièrement, nous sommes beaucoup trop séduisants…

Ernesto fait semblant de se lisser les cheveux avec un air de tombeur.

— Deuxièmement, continue-t-il, nous avons fait assez de bonnes actions pour mériter notre temps à nous.

À cet instant, Marie, une demoiselle de sa classe qu'il trouve à son goût, passe tout près et lui envoie la main. Ernesto lance un regard un peu gêné à ses amis, puis se lève aussitôt.

— Cela étant dit, chacun a ses priorités!

Puis il part rejoindre la jeune fille.

— Hé! Pis le lave-auto? demande Thomas en voyant son ami se défiler.

— Je dis oui à toutes vos idées!

El comandante soupire:

— Ça doit être la faute du printemps…

VINGT ET UN

Le lave-auto a lieu le samedi 2 juin, par une belle journée chaude et ensoleillée. La veille, les quatre mousquetaires, Jean-François et Denis sont venus décorer le local, optant finalement pour de grandes affiches entourées de lumières multicolores et représentant certaines scènes mémorables des bravoures précédentes. Elles ont été réalisées par les élèves d'arts plastiques de cinquième secondaire avec différents moyens, comme la peinture et le collage, et le résultat est tout simplement magnifique. Inutile de dire que chaque garçon s'est réservé une affiche pour sa chambre à coucher (sauf que celle de Thomas, elle, est destinée à une certaine Annick Tremblay de Sainte-Agathe).

Comme Thomas l'avait suggéré, c'est tout le matériel filmé jusqu'à ce jour (incluant un tas de séquences coupées au montage) qui sera projeté en continu sur le drap faisant office d'écran, sans son, mais avec de la musique qui joue dans le tapis. N'importe lequel des murs blancs aurait fait l'affaire pour la projection, mais on a préféré utiliser un drap qui servira aussi de rideau pour que les jeunes artistes puissent se changer et accéder discrètement à la porte arrière. À l'extérieur, sur la devanture de l'ancien commerce et sur les poteaux d'électricité, des pancartes aux couleurs vives font la promotion du lave-auto ainsi que de la cause à laquelle il contribue.

Les jeunes de l'école Léo-Lauzon arrivent sur les lieux une demi-heure à l'avance et affichent une assurance surprenante. Hier à peine, ils ont présenté leurs numéros devant tous les élèves et leurs parents, offrant des performances sans graves faux pas sous les encouragements et les applaudissements d'un public aussi charmé qu'impressionné. La représentation, une version modifiée et allongée de celle qu'ils ont donnée pour la première de *La Guerre des mitaines*, était l'aboutissement d'une année entière d'efforts et le clou d'un spectacle de variétés auquel plusieurs classes du deuxième cycle participaient. Aujourd'hui, le rythme sera moins soutenu et la petite troupe dispose de toute la latitude voulue pour décider qui fait quoi et à quel moment. Ce qui est important, c'est d'offrir aux « clients » du lave-auto une expérience, dans le pire des cas, inhabituelle ou, dans le meilleur scénario, tout à fait inoubliable.

— On compte sur vous pour amuser les gens, dit Thomas aux trois clowns qui se maquillent devant le miroir de la salle de bain. Gênez-vous pas pour improviser, surtout quand il y a des temps morts.

— Inquiète-toi pas! répond Ludovic, le plus allumé de la bande. Notre sac de niaiseries est pas mal plein!

— Celui de bonbons aussi! blague un autre.

— C'est vrai, on performe mieux quand on a mangé du sucre! ajoute Lia, la seule fille ayant choisi ce rôle particulier des arts du cirque.

Les jeunes ont en effet compris que faire le plein de friandises est un bon moyen de se donner davantage de pep et de conserver l'énergie nécessaire pour faire un bon clown. « Pourvu que vous n'en fassiez pas une habitude! » les ont prévenus leurs parents.

— Et puis, vous? demande Thomas aux acrobates. Pas trop fatigués de votre spectacle d'hier?

— Un peu, répond l'un d'entre eux, mais ça devrait aller. Je suis trop content d'être ici!

— Pis, nous, on est contents que vous soyez ici!

William s'approche de Thomas, caméra en main.

— On ouvre bientôt? lui demande-t-il.

Le jeune Hardy jette un coup d'œil à Jean-François qui répare une fuite au robinet qui alimente un des deux boyaux d'arrosage.

— Jean-François, combien de temps encore pour la réparation?

— Hum, donne-moi cinq minutes encore! répond l'enseignant tandis qu'il se fait éclabousser en plein visage.

Rires.

— Deux caméras, ça va être assez, dit Thomas à ses collègues. Au pire, on va se relayer. Je vais commencer avec l'arrosage, pis Karl va frotter avec ses gros bras musclés.

Karl, qui jubile devant toute allusion à sa récente perte de poids, sourit fièrement.

— Vous avez remarqué, hein? demande-t-il à ses compagnons.

— Oh, *sí*, répond Ernesto. Et si tu continues comme ça, on ne pourra plus être amis!

— Hein, comment ça?

— Parce que je serai trop jaloux, *amigo*!

En réalisant que c'est une blague, l'ogre d'Ahuntsic se met à siffler gaiement.

Le premier client de la journée est un simple passant qui ne connaît rien du projet ni de ses organisateurs. Le vieil homme, qui plisse les yeux pour bien voir malgré ses épaisses lunettes, demande s'il s'agit bel et bien d'un lave-auto.

— C'est supposé, monsieur, lui répond Thomas. Enfin, c'est vous qui allez nous dire si votre auto est plus propre qu'avant!

Le vieillard hésite un moment, perplexe.

— C'était une blague! poursuit le garçon. Nos pères nous ont bien montré comment faire, je vous assure que le résultat va être satisfaisant.

— En plus, c'est pour une bonne cause! ajoute William en s'approchant avec la caméra.

— C'est pour quoi, la caméra? Ça va passer à la télé?

— Si on veut! Souriez, monsieur, vous êtes maintenant une star!

Les yeux de l'homme s'ouvrent grand et il a un petit sourire gêné.

— Allez-y, entrez! s'exclame Ernesto. Le cirque vous attend!

Le regard ébahi de leur premier client, pris entièrement au dépourvu par tout ce qui se passe autour de lui, reste étampé sur son visage tout au long du spectacle. Lorsque le nettoyage est terminé, il reste là quelques instants sans réagir, essayant de comprendre ce qui vient de se produire.

— C'est fini, monsieur. Votre voiture est comme neuve!

— Ah, bon… euh… Combien je vous dois, jeune homme?

— Ce que vous voulez!

— Je vous demande pardon?

Croyant qu'il n'entend pas bien, Thomas hausse le ton:

— Vous nous donnez ce que vous voulez! C'est une levée de fonds pour les sans-abri!

— Ah bon, ah bon! Là, je comprends!

Le vieil homme ouvre son portefeuille et en sort un beau billet de vingt dollars sans aucun pli.

— Tiens! dit-il en le remettant à Thomas. Les bons comptes font les bons amis!

— Wow! Merci beaucoup, monsieur! C'est très généreux de votre part!

Puis la voiture repart. Le billet en main, Thomas regarde fièrement ses amis.

— Ça commence bien!

Tout au long de l'après-midi, les voitures se succèdent. Même si la majorité des clients savait qu'un lave-auto avait été organisé et connaissait déjà les bravoures, un nombre encourageant de nouveaux donateurs se présente. Assez, d'ailleurs, pour que les deux boyaux d'arrosage soient constamment utilisés et que Jean-François mette la main à la pâte. Chaque participant, qu'il s'agisse d'un organisateur ou d'un bénévole, reçoit la visite de ses proches à un moment ou à un autre, et Thomas se voit souvent forcé de mettre prématurément fin aux conversations pour laisser la chance à d'autres automobilistes de profiter des services.

Malgré le travail acharné des jeunes, tout se déroule dans le plaisir et la joie. Il faut dire que les trois clowns, aussi motivés que doués pour le divertissement public, font rire tout le monde : leur sens de l'improvisation est étonnant et fournit aux caméramans des moments sublimes à croquer sur le vif. Ludovic, qui possède un précoce sens de l'absurde, s'amuse à créer des réactions d'incompréhension totale chez les clients en les fixant droit dans les yeux sans rien faire, boyau en main, durant de longs instants, créant de sérieux malaises. Parfois, à sa demande, ce sont tous les participants qui s'immobilisent entièrement, jusqu'à ce que le conducteur et ses passagers aient l'air de se demander ce qui leur arrive. Puis le spectacle reprend d'un seul coup au signal de son bruyant klaxon.

En plus des automobilistes, il y a beaucoup de gens qui viennent à pied pour jeter un coup d'œil par les fenêtres ou offrir des dons à la cause sans rien attendre en retour. Ceux qui se connaissent restent là longtemps à jaser entre eux, compliquant un peu le déplacement des voitures, mais aidant certainement à attirer l'attention des passants sur le lave-auto. La petite foule devient d'ailleurs un sujet intéressant pour la caméra de William, lui qui compte bien utiliser ces images pour décrire l'influence d'un tel événement sur la communauté : il a eu la brillante idée de d'abord montrer au montage le lieu dans son état habituel, défraîchi et pratiquement abandonné, puis de faire une transition (en réutilisant le même cadrage) vers la version décorée et pleine de vie. Il est loin de se douter que ces images pousseront plus tard le propriétaire des lieux à transformer l'ancien commerce en petite garderie familiale, où sa femme et sa belle-sœur accueilleront une dizaine de bambins chaque année.

Après une heure supplémentaire ajoutée en réponse à la grande popularité de l'événement, le comité organisateur décide unanimement de fermer boutique. Épuisés, les membres de la bande rassemblent autour d'eux tous les autres bénévoles, et *el comandante* prend la parole :

— *Mes amis, ameches, amigos and friends* (extrait d'une chanson de Jean Leloup, *Johnny Go*, qu'écoute souvent son grand-frère), merci beaucoup pour tout ce que vous avez fait aujourd'hui. Je pense que j'ai pas à vous convaincre du grand succès de notre lave-auto, vous avez vu comme moi les gens aller pis venir pendant toute la journée.

— On l'a senti aussi! s'exclame Karl en frottant ses bras endoloris.

— Haha! Effectivement, ça n'a pas été de tout repos, mais notre objectif a été atteint : on a ramassé beaucoup d'argent pour notre cause — je vous dirai combien quand Jean-François aura tout compté —, on a égayé la journée de tous les gens qui sont venus nous visiter, pis, en plus, ON A EU DU FUN!!!

Tout le monde laisse échapper un cri de joie, puis Jean-François parle à son tour :

— Laissez-moi vous dire que c'est un honneur d'avoir passé une journée aussi mémorable en votre compagnie. Mes p'tits amis du cirque, vous avez été extraordinaires! Vous avez fait preuve d'une patience et d'une détermination qui en disent long sur vous! Et puis, vous, mes braves, je commence à manquer de qualificatifs pour vous décrire. J'ai le double de votre âge et c'est moi qui ai l'impression de me laisser porter par le courant. Non seulement vous m'impressionnez, mais en plus vous m'inspirez à en faire davantage pour les autres! Encore bravo!

Sur ces paroles, la troupe du lave-auto Répit pour les quidams (un nom inspiré par un ancien spectacle du Cirque du Soleil) s'applaudit vivement, puis s'offre un câlin de groupe bien mérité.

VINGT-DEUX

Ce n'est pas encore officiellement l'été, mais c'est tout comme : non seulement le mercure ne cesse de grimper, mais les examens d'étape sont presque terminés et l'esprit des vacances flotte dans les couloirs presque vides du collège Archambault. Les jeunes s'y promènent d'un pas léger, profitant de leurs horaires réduits pour passer du bon temps à l'extérieur. Certains jouent au aki ou discutent de leurs plans pour les huit prochaines semaines, d'autres se réunissent autour d'une guitare ou plongent leurs nez dans les manuels pour une révision de dernière minute.

Les élèves de cinquième secondaire sont beaux à voir : à la fois soulagés, fébriles et déjà nostalgiques, ils profitent de ces derniers jours à fouler le sol du collège où ils ont passé les cinq dernières années de leur vie. Ils échangent leurs nombreux souvenirs, les bons comme les mauvais, imaginent le bal des finissants qui approche à grands pas, ainsi que la folle soirée qui va suivre. Et, malgré la sincérité du moment, ils se font des promesses de retrouvailles que peu d'entre eux tiendront en fin de compte. En observant certains se serrer dans leurs bras (et même pleurer), Thomas repense au sentiment similaire qui l'habitait l'année précédente alors qu'il disait au revoir à son école primaire. C'est d'ailleurs à ce moment-là qu'il a compris le mot « doux-amer », où la joie et la tristesse se côtoient à parts égales.

Les quatre mousquetaires, eux, accueillent cette fin d'année avec soulagement. Leur cœur d'enfant réclame des vacances pendant lesquelles ils pourront redevenir des garçons de leur âge, sans responsabilité, sans horaire, sans groupies et, surtout, sans autre projet que celui de s'amuser. À cause des examens, Thomas et William n'ont d'ailleurs pas encore monté les images tournées au lave-auto, une première si l'on considère la vitesse et l'enthousiasme avec lesquels ils ont fini les bravoures précédentes. Ils comptent cependant avoir en main le film terminé lors de la remise des fonds amassés, prévue la veille de la Saint-Jean-Baptiste, au bunker de l'organisme Dans la rue.

Ayant terminé son examen de mathématiques avant tout le monde, William attend la sortie de ses amis avec impatience : ils ont prévu aller voir le film *Hommes en noir 3* au cinéma cet après-midi, un deuxième visionnement pour le jeune Lévesque qui raffole de science-fiction. Quelques minutes plus tard, Ernesto le rejoint avec un sourire jusqu'aux oreilles.

— Trop facile, dit-il en bâillant.

— TROP! répète William.

— J'étais tout le temps dans la lune, tellement j'étais sous-stimulé.

— Moi, je me suis presque endormi.

— Cool! Moi, j'ai carrément fait une sieste.

— Ah oui? Moi, j'ai eu le temps de faire des sudokus.

— Impressionnant, *amigo*, mais, moi, j'ai commencé ma thèse de médecine avec ma main gauche.

— Haha! Moi, je contrôlais un nouveau robot explorateur sur Mars avec la mienne.

— Hahaha! OK, tu gagnes!

Environ une demi-heure s'écoule avant l'arrivée de Thomas, dont le regard est plutôt neutre.

— *Hola!* Ça s'est bien passé?

Thomas hausse les épaules.

— Moyen, mais je m'en fous. On est complet?

— Non, répond William, devine qui manque.

— Notre beau Karl national?

— Évidemment. Il est probablement en train de s'arracher les cheveux en ce moment.

— Tu l'as pas aidé à étudier ces derniers jours?

— Oui, mais tu le connais, toutes les raisons étaient bonnes pour prendre des pauses. On peut dire que, finalement, c'est étudier qui devenait la pause de nos séances de jeux vidéo.

— Faut pas qu'il coule en tout cas. S'il doit changer d'école l'an prochain, je vais faire une dépression!

William sursaute.

— Hein? C'est vrai, ça! J'y avais jamais pensé!

Son visage affiche à présent une expression d'angoisse absolue.

— Bon, ajoute Thomas, au pire, il y a quand même les cours d'été… Je suis certain qu'ils vont lui donner une chance.

Ces paroles semblent soulager un peu William.

— Je vais dédier mon été à ses études s'il en a besoin. Notre gang peut pas être brisée! Jamais!

— Relaxez, *amigos*, intervient Ernesto en prenant une voix ultra zen. Nous sommes des vedettes à présent, et Karl est le chouchou d'un tas de professeurs. Tout le monde l'aime! S'il devait s'en aller, il y aurait des manifestations partout!

— Pis on porterait tous le carré Doritos! s'exclame Thomas.

— On taperait sur des friteuses pour faire du bruit! renchérit William.

— Hahaha! On formerait la G.R.A.S.S.E. pour défendre ses intérêts!

Tandis que les trois garçons se bidonnent, Karl pointe le nez.

— Qu'est-ce qu'il y a de si drôle? demande-t-il.

Ils se retournent alors vers lui et s'essuient les yeux.

— Rien, mon gars, répond Thomas. On t'aime, c'est tout! Ça t'a pas pris trop de temps, finalement. Comment t'as trouvé l'examen?

— Pas facile, mais j'ai une bonne vision, pis…

— Pis quoi?

— William écrit assez gros!

Dans un éclat de rire qui attire tous les regards, les quatre mousquetaires se tapent dans la main en s'écriant:

— UN POUR TOUS, TOUS POUR UN!

En chemin vers le cinéma, la bande discute des plans de chacun pour l'été. Lorsque Karl, qui possède de loin la famille la plus élargie du groupe et a pris goût aux rassemblements, propose de demander aux parents de louer un chalet commun pour une semaine, ses copains crient aussitôt au génie:

— *Dios mío!* s'écrie Ernesto. Ça serait tellement, mais tellement épique!

— Vous imaginez? demande Thomas. Toutes les activités cool qu'on pourrait faire sur le bord d'un lac : les aventures en forêt, le camping, les feux de camp…

Karl se met de la partie :

— Les saucisses grillées, les guimauves…

Puis William :

— On pourrait apporter nos ordinateurs portables, pis le soir, après une bonne journée d'activités de plein air, on jouerait en réseau à Diablo !

Thomas simule une crise cardiaque :

— Arrête ! C'est trop ! Arrête !

— Hé ! s'exclame Ernesto. C'est pas juste ! Moi, mon ordinateur, c'est de la *mierda* !

— Mon père te prêterait le sien, le rassure William, tu sais bien !

— Dans ce cas, c'est un plan d'enfer !

— Mais il est pas un peu tard pour réserver un chalet ? demande Thomas. D'habitude, il faut s'y prendre vraiment à l'avance, non ?

— T'en fais pas, répond Karl avec l'assurance de celui qui a le contrôle sur tout. Ma famille possède à peu près la moitié des chalets sur le bord du lac Pelletier à Saint-Adolphe-d'Howard.

— Pour vrai ? C'est où… ça ?

— Hum… genre à l'ouest de Sainte-Agathe. Il y en a toujours au moins un de libre, pis je suis certain qu'il y aurait moyen d'arranger quelque chose pour pas cher. Mes oncles pis mes tantes sont ultra gentils.

— Euh… viens-tu de dire « près de Sainte-Agathe » ou j'ai halluciné ?

— Oui, pourqu… Oh.

Karl a un petit rire coquin tandis que William, lui, lève les bras en signe de reddition.

— Ça y est ! On a perdu le commandant avant même d'organiser l'expédition !

— Haha ! répond Thomas. Ben non, c'est juste que je pourrais l'inviter pour au moins une journée, non ?

— Une ? Pfft ! Me semble, oui…

— De toute façon, faudrait peut-être commencer par demander à nos parents avant de se faire des plans. C'est pas comme s'ils avaient tous congé en même temps, pis on sait même pas si ça va leur tenter.

Ernesto baisse les yeux.

— Tu as raison, dit-il. Et, moi, je suis presque certain que mes parents ne voudront pas.

— Pourquoi ?

— Tu le sais, mon père travaille tous les jours, et ma mère n'aime pas beaucoup sortir de la maison. En plus, on est plutôt serrés ces temps-ci.

Thomas saisit le jeune Mexicain par les épaules et le brasse comme il faut.

— Oui, mais, toi, tu veux pis tu peux, c'est tout ce qui compte ! Si notre plan fonctionne, je te garantis que ça te coûtera pas une cenne !

Ces mots redonnent le sourire à Ernesto.

— On se donne la mission d'achaler nos parents avec ça jusqu'à écœurement alors ? demande William.

Suit un retentissant OUI collectif.

Les bras pleins de pop-corn, de boissons gazeuses et de sacs de friandises grand format, les copains s'assoient au beau milieu d'une salle presque vide. Karl s'étire et bâille profondément, lançant un regard envieux aux portions généreuses de ses amis : sa bouteille d'eau et son minuscule sac d'amandes semblent misérables en comparaison.

— C'est pas facile être à la diète, dit-il, surtout quand tout le monde se bourre la face devant toi.

— Il faut souffrir pour être beau ! répond Thomas avec un clin d'œil empathique.

— Pense aux regards admiratifs des filles, ajoute Ernesto. Ça va t'aider à persévérer.

Karl sourit à cette idée, puis saisit une amande entre son pouce et son index.

— T'es tellement petite, déclare-t-il avec un brin de tristesse, comme un prédateur qui prendrait soudainement sa proie en pitié.

Ernesto, la bouche déjà pleine, lui donne une petite tape consolatrice sur l'épaule.

— Aaaaaah! s'exclame William en s'étirant à son tour. Il y a rien de mieux qu'un bon film l'après-midi d'une journée d'école pour se sentir déjà en vacances.

— Hé! répond Thomas. C'est pas fini, il nous reste deux examens encore!

William lève un sourcil.

— Anglais pis informatique? Mon cerveau tremble de peur. Toi?

— Pfft! Ce que je voulais dire, c'est qu'on doit quand même se lever le matin pour se rendre au collège… Je suis plus nerveux pour la journée de la remise des dons que pour les deux examens combinés!

— Ouin, c'est ce jour-là, au fond, le vrai coup d'envoi des vacances. Après ça, on pense juste à nous!

— Ça va faire drôle…

Tandis que les lumières se ferment et que les rideaux s'ouvrent, Ernesto avance son visage vers ses deux amis qui parlent et fait une grimace horrible en collant son doigt sur sa bouche.

— Chuuuut!

VINGT-TROIS

Le grand jour est arrivé : environ sept mois se sont écoulés depuis le lancement de la campagne de financement et c'est à dix-sept heures que Thomas Hardy et ses partenaires remettront officiellement à Dans la rue le fruit de leurs efforts collectifs. Bien que, jusqu'à la fin, Thomas se soit accroché à son idée de faire livrer un camion rempli de denrées non périssables, un coup de fil de Jean-François au conseil d'administration de l'organisme a confirmé qu'un chèque serait la façon la plus appropriée de procéder. « C'est bien toi ça, mon Thomas… », lui a dit Xavier en remarquant la déception de son fils. « Une vraie tête de mule ! Des milliers de dollars amassés et tu n'es pas encore satisfait ! »

Malgré tout, le jeune Hardy a bien fini par avouer qu'après plus d'une semaine d'étude et d'examens, en plus du montage de sa toute dernière bravoure, prendre la voie la plus simple n'était pas une si mauvaise idée : son rêve de parcourir à toute allure les allées du supermarché en remplissant panier après panier aurait sans doute bien figuré dans un scénario de film, mais, en réalité, ce n'était pas tellement pratique. Au moins, le garçon aura le plaisir de remettre l'un de ces gigantesques chèques que l'on voit souvent dans les œuvres caritatives et les téléthons.

Vers treize heures, Jean-François, ses collègues des collèges participants et les quatre garçons dînent tous ensemble au restaurant. Michel, que Thomas a rencontré à l'occasion de sa première conférence, loue les efforts de ses élèves et raconte à quel point le passage du créateur des bravoures a eu une influence positive sur eux:

— C'est extraordinaire, dit-il. C'était la première fois que quelqu'un d'aussi jeune qu'eux venait leur parler comme ça. Pas une célébrité qui doit son succès à des contacts ou bien à un coup de chance, non, plutôt un jeune ado qui a pratiquement construit lui-même sa notoriété!

William tousse, suivi d'Ernesto. Thomas rougit.

— Bon, poursuit Michel, je vous l'accorde, vous avez tous joué un rôle important dans l'affaire. C'est juste que, ce jour-là, c'est Thomas qui est venu sur la scène pour leur parler de son grand projet…

— Ouin, ajoute Thomas, c'est vous qui vouliez pas venir au début, alors séchez maintenant!

— Pfft, avoue que ça faisait bien ton affaire de jouer en solo! lance William à la blague. Tu voulais toute la gloire pour toi, hein? C'est ça? C'EST ÇA?

— OUI! JE SUIS LE MAÎTRE DU MONDE, MUHAHAHAHAHAHAHA!!! VOS ÂMES SONT À MOI!!!

Quelques clients se retournent et dévisagent Thomas tandis que ses copains et lui se mettent à déconner.

— Arrêtez, les gars, chuchote Jean-François avec le sourire aux lèvres, vous allez nous faire honte!

Michel secoue la tête.

— Comme je disais, j'ai senti un changement chez mes élèves après la conférence, comme s'ils réalisaient que, malgré leur âge, ils pouvaient changer les choses dans le monde qui les entoure.

— Un monde d'adultes…, ajoute Daniel, l'autre enseignant, qui a un air absent depuis le début du repas.

— Toi, Dan, tu as remarqué ça aussi?

— Euh… oui. Certainement, oui. D'ailleurs, ç'a été un de nos sujets de discussion en classe. Très intéressant, c'est clair, très intéressant…

Puis l'homme retourne à ses pensées, les yeux fixés dans le vide. *Bizarre, celui-là*, pense Thomas en l'observant. Ses amis, qui se sont tous passé sensiblement la même réflexion, se regardent, puis haussent les épaules.

— Dites-moi donc, les gars, demande Michel. Avez-vous l'intention de poursuivre tout ça l'an prochain ou est-ce que, ce soir, c'est votre adieu au monde de la philanthropie?

— Évidemment qu'on va continuer! répond Thomas, comme si aucune autre réponse n'avait pu être possible.

— Ça va être difficile de vous surpasser en tout cas, ajoute l'enseignant.

— C'est pas important, dit Karl. C'est pas un concours.

Étonné par la remarque, Thomas sourit et lève le pouce vers son ami.

— Que je n'entende pas un seul mot de ta bouche, prévient Jean-François en pointant son index vers Thomas. Monsieur je-veux-à-tout-prix-faire-une-épicerie-de-vingt-mille-dollars! S'il y a quelqu'un qui va tout faire pour se surpasser, c'est bien toi!

Le jeune Hardy prend un air innocent et se met à siffler. Son professeur poursuit:

— Saviez-vous qu'il a même cherché sur Internet pour vérifier s'il était possible de battre le record du monde de la plus grosse collecte alimentaire?

Ernesto lance à son meilleur ami un regard incrédule.

— Vraiment, *amigo*? Après tout ce temps, tu penses encore à tes fameux records?

— Bah! répond Thomas. Je me suis dit: « Pourquoi pas une pierre, deux coups? »

Daniel éclate d'un rire tonitruant qui surprend tout le monde à la table:

— Hahaha! *I'll drink to that!*

La bande se pointe au bunker environ une heure avant la remise officielle du chèque, question de rencontrer, avant l'arrivée des invités, les jeunes itinérants qui y logent, ainsi que quelques membres du conseil d'administration, à commencer par le fameux père Emmett Johns (affectueusement surnommé Pops). Tandis que Claudine, une sympathique adolescente aux cheveux verts et aux bras entièrement tatoués, leur fait visiter les lieux, les garçons se sentent soudainement fiers de contribuer ainsi au succès du refuge. Jusqu'à maintenant, le concept d'aider les sans-abri était resté plutôt flou dans leur tête, mais aujourd'hui, avec les explications de la demoiselle, ils comprennent mieux l'influence d'un tel organisme sur la vie de ceux à qui il vient en aide quotidiennement.

— Est-ce que tu dors ici, toi? demande Karl à Claudine.

— Non, plus maintenant. J'ai mon appartement à moi depuis deux mois. C'est un petit un et demie, mais ça me suffit. De toute façon, j'économise pour retourner à l'école.

— Ah, c'est cool, ça…

— T'étais restée combien de temps ici? demande Thomas.

— Hum, quelques jours, le temps de me trouver un autre endroit où rester. Maintenant, je viens juste de temps à autre pour donner un coup de main, genre faire un peu de ménage ou partager mon expérience avec les nouveaux arrivants. C'est ma manière de leur montrer que j'apprécie tout ce qu'ils ont fait pour moi.

— Si c'est pas trop indiscret, comment tu t'es ramassée ici?

Claudine rit doucement.

— C'est pas indiscret. En fait, je me suis sauvée de chez nous parce que, moi pis mes parents, on s'entendait plus du tout. Disons que ma famille est assez *rock and roll*, pis que c'était plus possible de cohabiter avec eux.

— Ah, c'est poche.

— Oui, mais, là, j'ai une job qui paie suffisamment pour que je puisse mettre des sous de côté, pis je suis capable de me projeter dans le futur, ce que j'arrivais pas à faire avant. Je suis chanceuse quand même, j'ai une copine qui s'est sauvée de chez elle il y a quelques années pour venir à Montréal, mais comme elle connaissait pas le bunker, elle s'est ramassée chez des gens... pas commodes, disons. Pas commodes du tout...

William semble particulièrement troublé par la dernière phrase.

— Oh, dit-il. J'aime pas ça, entendre parler de ces choses-là. Est-ce qu'elle s'en est sortie?

Claudine lui fait un sourire qui se veut rassurant, mais qui dissimule une certaine tristesse.

— Oui, maintenant elle va mieux. En tout cas, c'est vraiment cool, ce que vous avez fait. L'argent que vous avez ramassé va nous permettre d'aider d'autres personnes comme moi pis mon amie, des jeunes qui sont pas méchants pour deux cennes, mais qui sont juste un peu perdus.

Ernesto, qui trouve la fille particulièrement jolie, s'avance pour lui serrer la main.

— Ramirez, fait-il avec un air charmeur, Ernesto Ramirez, à votre service! Dites, mademoiselle, vous avez un copain?

Paroles qui lui valent une petite poussée dans le dos de la part de Thomas.

— Quoi? demande le jeune Mexicain, l'air innocent.

— Commence par une fille de ton âge! lance Thomas. Espèce de petit Latin au sang chaud!

Claudine rougit.

— Écoute-le pas, ajoute Thomas, c'est plus fort que lui. Au début de l'année, il était gêné avec les filles, mais le succès lui est monté à la tête.

— Hé! proteste Ernesto. Traître!

— Haha! C'est pas grave, répond la demoiselle. Pour réponde à ta question, oui, j'ai un chum.

Ernesto affiche un air déçu même s'il savait très bien qu'il n'avait aucune chance: il ne voulait en fait que la complimenter. La guide improvisée présente ensuite aux garçons quelques jeunes qui sont de passage au bunker et avec qui ils parlent un moment. L'un d'entre eux les reconnaît pour avoir vu leurs vidéos sur YouTube et semble particulièrement fier de les voir là, ses yeux fatigués s'illuminant aussitôt.

— Vous êtes les *kids* des *Bravoures de Thomas Hardy*, hein? leur demande-t-il.

Thomas répond par l'affirmative.

— Malade! poursuit l'adolescent. Je m'attendais pas à ça pantoute!

Il fouille quelques instants dans son sac à dos et en sort un frisbee ainsi qu'un marqueur permanent (qu'il utilise régulièrement pour écrire des poèmes un peu n'importe où).

— Ça vous dérangerait-tu de signer ça?

Sans hésiter, les quatre braves signent leur autographe sur le disque.

— Merci, les *boys*. Peut-être que ça va valoir cher un jour! Héhé…

— Je te le souhaite! répond Thomas en lui tapant dans la main.

Les garçons rejoignent ensuite Jean-François et les trois autres professeurs qui discutent encore avec les membres du conseil, puis attendent l'arrivée des invités.

S'ajoutent donc, à l'heure prévue, les huit parents des braves; madame Marquette et Jacques, son frère journaliste, venu prendre des photos et recueillir des témoignages en vue d'un article; Manon Laurier, la directrice de la vie étudiante du collège; et finalement, à la grande surprise (et à la grande joie) de Thomas, son grand-oncle Claude et sa grand-tante Yolande. Bien que tous leur accordent, à un moment ou à un autre, une certaine attention, les garçons finissent par se sentir un peu dé-phasés dans cette soirée qui se transforme vite en cinq à sept pour adultes: le champagne coule à flots et les étranges petits amuse-gueules variés n'ont rien d'appétissant pour leurs palais encore sous-développés.

Même le moment des discours n'a pas la saveur anticipée, et Thomas a l'impression de simplement répéter tout ce qu'il a dit dans ses conférences précédentes. Les gens écoutent attentivement, certes, et la fierté des parents est palpable. Néanmoins, c'est comme si le moment n'était pas à la hauteur de ses attentes, ou dans ses propres mots : « C'est comme si c'était l'aventure au complet qui a été palpitante, mais pas tant le but final, genre. » C'est tout de même avec une bonne dose de satisfaction que Thomas empoigne le chèque géant de vingt mille trois cent cinquante dollars et le remet à Pops : le sourire du garçon, proportionnel à la grosseur dudit chèque, est étincelant sous les flashs des caméras et, bien que son cœur ne ressente pas l'extase attendue, cela n'enlève rien au fait qu'il s'agit d'un merveilleux point d'exclamation sur une année riche en émotions.

Après des poignées de main qui n'en finissent plus et la répétition incessante des mots « félicitations » et « merci », les gens discutent ensemble un moment, puis finissent par partir les uns après les autres. Dans le stationnement, avant que les petites familles ne retournent à leurs domiciles respectifs, les parents des garçons se rassemblent pour leur annoncer une bonne nouvelle : en guise de récompense pour le travail acharné de leurs fils adorés et pour toute la fierté qu'ils leur ont donnée, les quatre couples ont loué le chalet d'un Langlois pour la troisième semaine de juillet.

— Nous aussi, maman ? demande aussitôt Ernesto tandis que ses amis se retiennent d'exprimer ce qu'ils ressentent.

— Moi, *sí*, répond madame Ramirez (elle qui malgré sa basse estime d'elle-même a vite conquis les autres parents), et ton père viendra nous rejoindre pour la fin de semaine.

À ces mots, les yeux d'Ernesto se mouillent et il tourne la tête pour que les autres ne le voient pas. On peut cependant affirmer que ses larmes sèchent très vite lorsque ses trois copains se mettent à crier leur joie en sautant comme des kangourous. Qui avait dit que l'extase n'était pas au rendez-vous ce jour-là ?

ÉPILOGUE

Nous sommes le 6 juillet, le soleil brille sur l'île Sainte-Hélène et le mercure atteint les trente-deux degrés Celsius. Nos quatre héros, Annick, sa meilleure amie Julie, ainsi que Marie (*Mariaaa! Mariaaaaa!*), le béguin d'Ernesto, forment un joli groupe qui flâne le long des grandes allées de La Ronde. Par expérience, les collégiens en vacances savent qu'il vaut mieux prendre le temps de digérer leur dîner avant de retourner dans les manèges.

— Oh, regardez là-bas! s'exclame Karl en montrant l'aire de rafraîchissement devant lui.

Il s'agit en fait de cabines dans lesquelles de fins jets d'eau sont vaporisés sur les utilisateurs.

— Il faut que j'y aille, ajoute-t-il en accélérant le pas, sinon je vais mourir!

Les filles, qui se plaignent de la chaleur depuis le début, s'énervent comme des gamines et se mettent à courir dans la même direction.

— Premier arrivé, premier servi! lance Annick à Thomas en lui faisant une grimace.

Ce dernier la rattrape juste au moment où elle va entrer dans la cabine et, après un peu de bousculade, ils s'y glissent tous les deux.

— Laissez-en pour les poissons! s'indigne William quand le duo appuie sur le bouton pour une troisième vaporisation d'affilée.

Lorsqu'ils sont tous complètement détrempés, les adolescents s'assoient sur des bancs pour laisser le soleil sécher leurs vêtements.

— *Slush*? demande Ernesto quelques minutes plus tard en voyant Karl suer de nouveau.

— *SLUSH*! répond le colosse comme si c'était l'idée la plus géniale qu'il ait entendue de toute sa vie.

Une idée qu'il regrette après ses (trop grandes et trop rapides) premières gorgées, son cerveau se congelant comme s'il avait trempé dans du cryogène.

— Aaaaaargh! s'écrie-t-il en frottant sa main sur son crâne douloureux.

Suivent les moqueries de tous, à part de William qui vient de commettre la même erreur.

Plus tard, en passant devant le stand de basketball, Thomas s'arrête et regarde les peluches géantes qui sont offertes en prix.

— Tu crois que tu serais capable, *amigo*? lui demande Ernesto.

— Hum, je sais pas. Ils sont pas de taille réglementaire. Je pense qu'il faut vraiment être précis. Si tu touches l'anneau, il y a aucune chance que ça entre. C'est vraiment pas comme à notre kermesse de Noël…

— Je suis certain que tu peux, ajoute Ernesto, surtout avec la bonne motivation.

Il fait un clin d'œil à Annick, ce qui la fait rougir. Thomas la regarde, sourit, puis examine de nouveau le stand. Il n'en faut pas plus pour que l'employé, qui crie sans cesse le même discours pour attirer les clients, prie le garçon de s'approcher davantage et de tenter sa chance.

— Allez, mon ami ! s'exclame Jonathan (son nom est écrit sur son macaron). Je peux voir dans tes yeux que tu es un EX-PERT ! Un PRO-FES-SION-NEL ! Seulement trois dollars ! TROIS ! C'est rien, ça ! Regarde tous les beaux prix que tu peux gagner ! REGARDE-LES COMME ILS SONT BEAUX !

Si l'on en juge par son ton sarcastique, le jeune homme semble tout à fait conscient de l'absurdité de ses paroles. Néanmoins, il prend visiblement son pied à les dire, faute de pouvoir appuyer sur un bouton magique et terminer son quart de travail pour aller rejoindre ses amis.

— Allez ! renchérit-il. Fais-le pour la belle fille qui t'accompagne…

Il reluque Annick, puis regarde encore Thomas.

— À moins que tu sois pas encore assez viril pour ça… Peut-être dans quelques années, quand tu vas atteindre la puberté…

Le visage de Thomas s'assombrit.

— Hé! C'était juste une blague, mec, prend-le pas mal!

Ernesto s'approche de son ami et lui chuchote à l'oreille :

— Maintenant, t'as plus le choix, *amigo*, il faut que tu lui fermes sa grande gueule d'ado cynique.

Le jeune Mexicain sort un billet de cinq dollars de sa poche, puis le dépose fermement sur le comptoir.

— Il va essayer, dit-il, c'est moi qui paie!

— Oublie ça, réplique Thomas, je m'en fous.

Mais Ernesto ne veut rien entendre. Le commis, heureux de sa vente, range le billet dans sa pochette ventrale et remet la monnaie au garçon.

— Approchez! Approchez! Venez observer le petit gars qui tente sa chance! Pas de pression surtout, PAS DE PRESSION!

Sans accorder une quelconque importance aux paroles de l'effronté, Thomas saisit le ballon, le fait rebondir deux fois comme s'il était à la ligne de lancer franc durant une partie, place ses mains correctement, puis fait le vide autour de lui. Il prend ensuite une grande inspiration, fléchit ses genoux et remonte doucement en effectuant un lancer parfaitement maîtrisé.

— SWOUSH ! s'exclame Ernesto lorsque le ballon traverse le filet sans toucher l'anneau.

— ET DE UN ! ajoute Karl, tout fier.

Les filles applaudissent et encouragent davantage Thomas. Jonathan a un autre de ses petits sourires sarcastiques, ramasse le ballon et le redonne au garçon.

— HOU LÀ LÀ ! dit-il. Est-ce que c'est un coup de CHANCE ou on a affaire à un vrai pro ? C'est ce qu'on va savoir À L'INSTANT !

Sans aucune hésitation, le jeune Hardy lance le ballon de la même façon et réussit son deuxième panier, ce qui décuple l'excitation de ses amis. Cette fois, c'est avec un certain respect que Jonathan s'adresse à lui :

— Pas pire, mec, pas pire en maudit.

Il a le ton de voix de celui qui est sur le point de ravaler ses paroles.

— Vas-y, mon Tommy ! s'écrie Annick. Wouhou !

Le cœur battant à toute allure, Thomas se laisse distraire un instant par les immenses peluches, songeant qu'il est sur le point d'en gagner une et qu'il laissera la fille de ses rêves la choisir. Puis il se concentre de nouveau, refait les mêmes mouvements et laisse partir le ballon. La seconde que prend ce dernier à atteindre le panier semble durer une éternité. Tandis que le ballon se dirige pour une troisième et glorieuse fois vers le filet avec une précision latérale parfaite, il touche finalement le derrière de l'anneau et rebondit haut dans les airs. Si on repassait la scène au ralenti, il serait possible de voir l'expression de ses amis passer de la joie à la déception… pour retourner aussitôt à la joie : le ballon, qui a presque touché le plafond, redescend directement dans le filet sous les cris extasiés de tous les témoins, y compris les quelques curieux attirés par les commentaires de Jonathan.

— Wow ! laisse échapper le commis, bouche bée devant un exploit qu'il ne croyait pas possible, du moins de la part d'un garçon de treize ans.

Il s'approche de Thomas et tend vers lui son poing fermé en signe de respect. Le garçon hésite d'abord, mais finit par y cogner le sien avec une fierté débordante.

— Approchez, tout le monde ! Venez voir notre grand gagnant choisir son prix ! *BIG WINNER !* On a un *BIG, BIG WINNER* !!!

Jonathan se penche vers Thomas :

— Alors, lequel tu choisis ?

Le jeune Hardy prend Annick par la main et la tire vers le stand.

— Demande à elle ! répond-il.

Les yeux gros comme des balles de ping-pong, la demoiselle examine attentivement les prix et arrête finalement son choix sur un énorme Spiderman (malgré les protestations de Julie qui le trouve ridicule) équipé de ventouses aux pieds et aux mains. Elle se retourne alors vers Thomas et lui murmure :

— Comme c'est ton préféré pis que tu me fais penser à lui, je vais avoir l'impression de t'avoir tout le temps avec moi…

Puis elle dépose une bise sur la joue de son héros.

Le reste de l'après-midi se déroule dans le plaisir pur, et ce, malgré les longues files d'attente qui atteignent souvent les trois quarts d'heure. Comme ils sont plusieurs, les membres du groupe ne sont jamais à court de discussions et tous se nourrissent de l'énergie de chacun : dès que l'un d'entre eux veut essayer un manège en particulier ou simplement manger, il n'a qu'à montrer assez d'enthousiasme pour que les autres le suivent. De tous, c'est Karl qui a le plus de cran quand vient le temps d'embarquer sur les grosses montagnes russes. Non seulement il ne laisse paraître aucune nervosité avant le départ, mais il veut toujours y retourner tout de suite après. Il est d'ailleurs le seul qui sourit sur les photographies affichées aux écrans à la sortie, aussi calme que s'il était à bord d'un pédalo sur un étang peu profond par une belle journée estivale.

— T'es sérieux ? lui demande Thomas lorsqu'il manifeste l'envie d'essayer le Slingshot, un manège payant qui consiste en une sorte de saut à l'élastique inversé où les utilisateurs sont propulsés haut dans les airs. Tu veux vraiment y aller ?

— Mets-en, dit Karl. Ç'a l'air malade !

— Oui, fait William en observant un père et son fils qui embarquent dans le manège. Juste à le regarder, je me sens malade.

Thomas vérifie l'argent qui lui reste et hésite un moment.

— Vingt dollars, c'est un peu cher…

— Je te le paye ! s'exclame Karl avec un regard plein d'excitation. Allez, *come on* !

— Vas-y avec lui, Thomas, intervient Annick. Ça va lui faire vraiment plaisir. On va vous regarder.

— En toute sécurité, ajoute William.

Puis les deux braves (littéralement cette fois) se mettent dans la file, leur niveau d'anxiété augmentant d'un cran (de deux ou trois dans le cas de Thomas) lorsque la sphère métallique est relâchée et que les deux humains hurlants sont projetés vers le ciel. Comme il se retrouve rarement seul avec Karl, Thomas profite de l'occasion pour le faire parler davantage et, quand vient leur tour, le simple fait de partager cette activité aussi inusitée qu'extrême les rapproche. À la fin du décompte, quand les deux garçons quittent le sol à la vitesse d'un avion supersonique, le sourire paisible de Karl se transforme enfin en trou noir.

Tandis que le soleil se couche dans un ciel rose orangé et que la foule se dissipe un peu, le groupe se dirige vers la grande roue pour contempler le parc d'en haut. Bien que la fin de cette mémorable journée approche, il reste encore deux heures avant l'arrivée de la minifourgonnette des Lévesque et c'est suffisant pour que les jeunes n'y pensent pas encore. Au contraire, la noirceur ajoute une note de mystère des plus agréables. Thomas et Annick sont les premiers à entrer dans une nacelle et, voyant le regard complice que lui lance sa meilleure amie, Julie bloque aussitôt le passage aux autres.

— Nous, on prend le prochain, leur dit-elle, mine de rien.

Réalisant qu'il sera enfin seul avec sa bien-aimée, Thomas sent le rythme de son pouls doubler.

— J'ai hâte d'être en haut, dit Annick, ça va être tellement beau !

Pendant la montée, ils parlent peu. Ils se contentent d'être assis, collés, à observer le monde en dessous qui se transforme en fourmilière. Alors qu'ils approchent du point le plus haut, Thomas ressent soudainement une certaine tristesse à l'idée que ce moment prendra bientôt fin, comme un doux rêve de mi-été. Puis il se console en se disant que la saison estivale est encore toute jeune et que, dans quinze jours, il passera sans doute la plus belle semaine de sa vie en compagnie de ses amis et de la belle Annick. Tout à coup, les yeux de Thomas s'ouvrent grand.

— Ça va ? demande Annick en remarquant son regard étrange.

— Euh… oui, j'ai comme une impression de déjà-vu.

— Oh ! J'adore ça quand ça m'arrive ! Des fois, ça vient juste d'un rêve que j'ai fait, mais ça donne l'impression que je revis le moment pour la deuxième fois.

— Oui, c'est ça ! J'ai rêvé à ce moment-là !

— Haha, t'es *cute*.

— Je suis sérieux, je parle d'un vrai rêve, genre la nuit. C'était presque exactement comme maintenant ! C'est complètement fou !

Les yeux d'Annick s'embrasent et saisissent le cœur du garçon par le collet.

— Pis il se terminait comment, ton rêve ? demande-t-elle avec une intention on ne peut plus claire.

Thomas jette un coup d'œil derrière lui pour être bien certain que sa mère ne s'y trouve pas, puis plonge son regard dans celui d'Annick. Il n'en faut pas plus pour que les deux visages se rapprochent, comme attirés par des aimants, jusqu'au contact chaud et moelleux de leurs lèvres.

Souriez, vous deux, car il ne s'en fait pas de meilleurs…

À suivre...

Remerciements

Un gros, gros, GROS merci à la charmante Dominique qui m'a carrément ouvert la porte du monde de l'édition. Je l'ai souvent remerciée et je continuerai à le faire dans chacune de mes futures publications, et ce, jusqu'à ma mort.

Merci à mon bon ami Joseph, qui a pris la peine de me téléphoner un jour pour me dire que les trois premiers chapitres d'une histoire que j'avais écrite le faisaient CA-PO-TER! Son enthousiasme m'a motivé à poursuivre.

Merci à Michel pour son coup de tête, pour avoir cru en mon talent et pour le chèque d'un million qui m'a CLAIREMENT été promis. Mon immense yacht est déjà acheté et les paiements mensuels débutent dans un an, alors j'attends…

Merci à Érika et Marie-Eve pour m'avoir aidé à améliorer mes récits, vos contributions ont été très appréciées.

Merci à mes correctrices, Patricia, Natacha et Élaine, pour avoir amélioré visiblement la qualité du français dans mes manuscrits.

Merci à Isabelle pour ses superbes illustrations, j'ai beaucoup aimé voir mes personnages prendre vie grâce à ses coups de crayons.

Merci à Marie-Noëlle pour avoir dit oui avant le non.

Merci à tous ceux qui, de près ou de loin, ont contribué à ce premier succès (c'est-à-dire le simple fait d'être publié, que ce livre me rapporte assez pour manger ou pas).

Philippe Alexandre